Word
SEARCH

100 WORD SEARCH PUZZLES

VOLUME 3

ISBN-13: 978-1-945888-10-6
ISBN-10: 1-945888-10-5

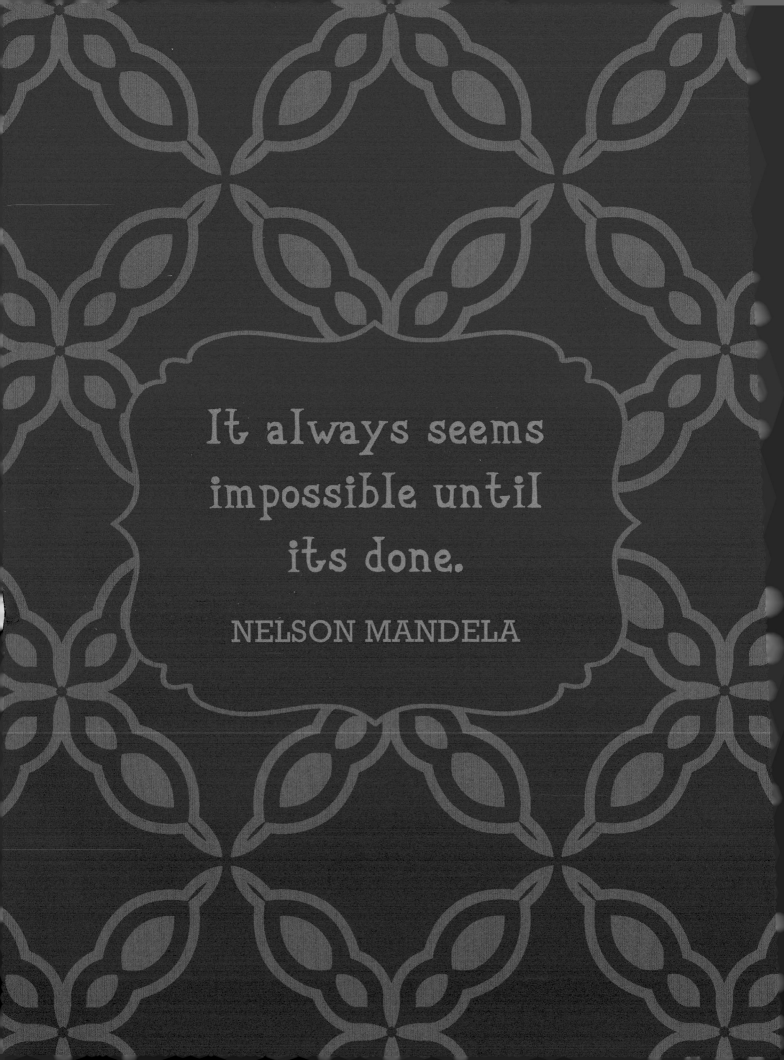

It always seems impossible until its done.

NELSON MANDELA

```
I Z A M F E F Q J M Z W A N U E Y R E W P U X C S
I A M P O E R F I S H Y H W V E L A I O E D C X P
F B J R E T U H O O J B H E V R I J R E E G U K I
Z C N L O B I R X P O S I T I O N D M N K G A A D
M J I O I T T O V K O L W R I T E R A N O O P S E
S N Q R L G S G N H E W G B O A M L D D Q M W Y R
G N D G P Z X N T B O F R M D T P Y K Z G H S G S
S B E T B Y Y Q I R C X Y X M R A J G H R B P K H
P D L J C S V F Y A O Z A F I G F E G X J R X E D
S V F T F S X V C M R U L A K T X A R J X N S X Q
K H N A A R I D N G P S S L W Z Z S F C Z K R F R
M O O R D E B H E B K K Y E Z H T F N U Z K F E X
S O O T L S H C D A Z Q N V R U D R T B M N Z Q M
R G S T I Z R T N I S J G U Q S C C R A X X Q I Q
G J U M B X P E E T B Q V H U G U J G A A D M U P
A K M H U V R R T O I E L U X Y B I D W M X L E Y
I U H M L N A T L F U F F S G A M D I Y M C Z S I
M B P R M X E S L I W X U O S U E T O X A W L D H
P R K C Z F B Y M A G K N V I H V D W J V O K M H
A Y A L E L N N W A O J P Y U C J X N J O P S J Z
D Y E E D O S S B H M C V T S M G U N L Y E C W F
U E X Q K Y X R F B D P Y M S A U Z A F H V T L M
V E B E E D O W Z N H E O U X Q S L K K C R U E C
R Y L H I M L T A Q O K A O I Z N G T I Y R T A B
Z Y I U E R D G E Q E S P G F S O U R P N E Z G T
```

AIRPLANE	ARM	BAIT	BEAR
BEDROOM	BELIEVE	BIRD	COAL
CREATOR	DROP	FEELING	FISH
FRUIT	MOTION	POSITION	RAINSTORM
SMOKE	SPIDERS	SPOON	STRETCH
TENDENCY	TROUSERS	WAX	WRITER
YARN			

Good, better, best.
Never let it rest. 'Til
your good is better and
your better is best.

ST. JEROME

```
L  B  F  K  R  P  A  Z  R  N  U  P  Y  Q  P  Y  C  B  D  J  X  P  V  L  G
Z  S  Z  I  V  Z  F  A  Z  B  T  K  Z  R  J  O  W  K  E  M  D  M  S  D  S
A  Q  Z  O  O  Z  I  F  J  W  D  Z  S  Y  K  N  A  O  C  L  I  C  M  H  K
B  I  R  E  G  N  E  S  S  A  P  F  E  E  L  I  N  G  A  E  S  F  R  P  Z
M  U  O  B  S  C  N  F  B  C  A  N  V  A  S  P  C  S  L  Q  T  T  A  I  M
R  C  C  T  Z  X  R  W  N  J  X  U  C  K  N  G  Y  T  C  H  R  G  D  E  B
N  Q  O  K  X  M  R  X  K  X  X  E  A  C  S  R  S  N  K  A  I  E  P  C  I
K  R  J  N  E  I  V  C  X  E  P  Q  P  R  E  L  J  A  Y  J  B  B  M  T  E
M  C  O  A  S  T  O  C  E  Z  I  S  I  T  B  D  O  I  E  T  U  B  W  I  E
A  O  D  T  E  S  H  M  I  N  T  N  E  M  Y  A  P  G  L  Y  T  K  A  G  D
O  N  W  G  K  A  L  M  R  O  B  M  R  M  F  T  S  C  S  K  I  G  D  G  F
Y  T  C  N  N  R  Z  T  Z  K  E  O  B  G  F  O  E  E  S  M  O  B  G  A  E
P  R  D  N  R  S  E  T  A  C  N  L  Z  G  Y  T  I  L  C  B  N  V  N  L  W
Y  O  E  B  H  V  R  B  T  A  J  K  U  Z  L  B  O  L  Y  G  I  Z  I  G  X
D  L  N  L  W  I  A  Q  O  P  M  H  Q  Q  A  X  A  S  W  N  C  Y  D  D  G
S  W  H  L  E  H  U  J  A  V  Z  A  V  B  G  G  Q  P  D  H  L  P  L  D  Q
Y  R  C  B  Z  C  V  T  K  C  C  L  E  L  H  G  Q  M  E  U  Q  Z  I  N  P
A  R  U  D  A  J  E  G  D  X  C  B  C  T  L  R  R  I  G  Y  W  A  U  O  A
A  J  I  A  X  F  W  B  C  L  U  K  X  U  S  Y  P  D  N  I  D  N  B  O  W
W  S  D  X  S  Q  X  F  X  E  T  U  I  N  Q  T  W  Z  J  L  K  T  C  N  P
I  F  Q  W  P  O  I  V  X  Z  A  D  X  V  G  K  D  D  I  L  O  N  L  O  Z
C  O  Z  O  W  Z  N  X  Q  K  B  F  T  S  W  F  U  Q  D  R  B  G  G  Q  I
C  E  P  K  K  U  I  I  V  L  L  Y  N  R  X  Z  J  M  T  O  I  V  I  K  L
R  J  R  Q  J  U  H  I  D  P  E  G  U  M  T  I  B  L  P  Q  U  R  A  K  S
E  Z  J  L  K  D  N  K  N  D  Q  Y  R  R  O  X  Q  I  E  I  T  E  J  G  C
```

BABIES	BUCKET	BUILDING	CABBAGE
CANVAS	CAP	CELERY	CEMETERY
CHANNEL	CONTROL	CRIB	DIME
DINOSAURS	DISTRIBUTION	FEELING	GIANTS
LACE	MINT	PASSENGER	PAYMENT
RAINSTORM	SIZE	SOCK	TABLE
WRIST			

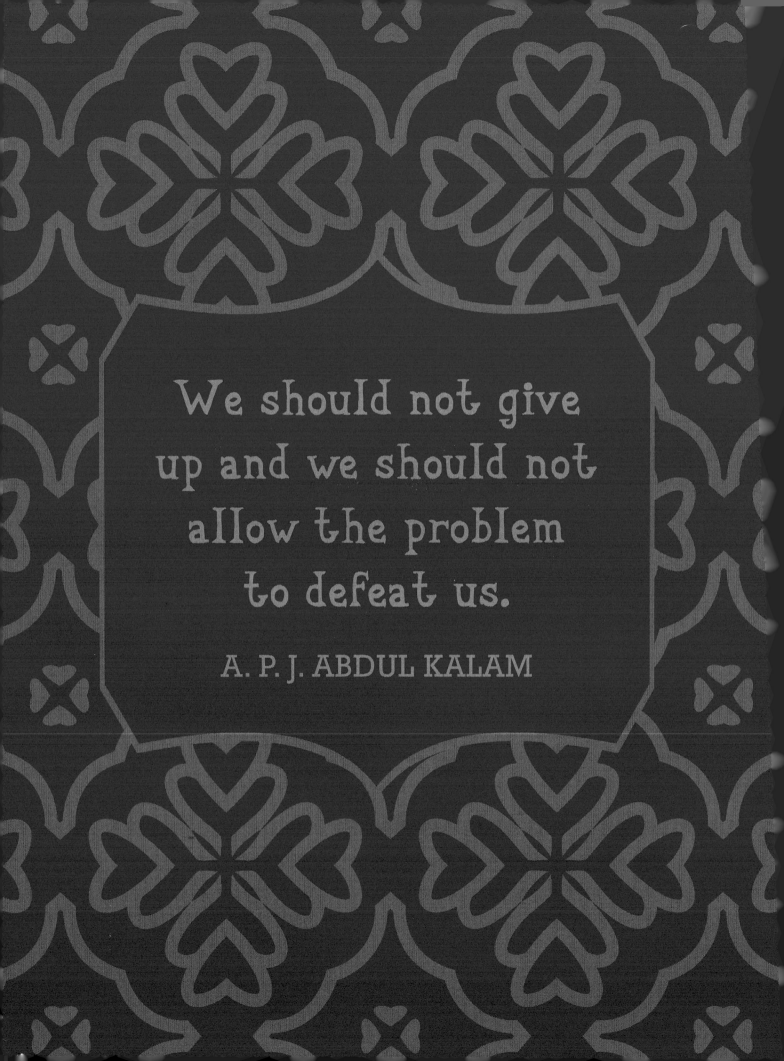

We should not give up and we should not allow the problem to defeat us.

A. P. J. ABDUL KALAM

```
K J K I O H I E A P X H L E S W R P H R Z S B B Z
N E R D L I H C R N W S L T N C H X E J B O U Y G
Q J V A D K P C A O I B U S A L X J A M M M M F C
H T R A E I A P J O H M P A K A H S U O C E D Z I
X R Z S L L N N U O E S A T E M T H R A U M C Y N
P P H K E S Y O A S H N A L S I T O T A X M D S V
J J I N O R P I S Y H C I E B J G W A M R V U O E
I C D U I Z C Z A A L O B B S G L O C J P S E X N
K A N X E V B K H D U L A R L Z E Z G R C J V V T
R D H E O I V R Z S W R A V V V N M N X B R U Y I
U G C I C J Y H T Y U L S M E X P O P A Q U A N O
X T C R R F T W J X U Q L O V E R G A I L M F N N
O F S A C O F S P T X P J T C T X K T C B V C K L
A T B Y B Z L R I Q I L V W A O D F E U O V W G X
C Q Q Z H C H Z N W R C E Z T R J X S K C U D R R
K K K L I A P X R G T S O I H U R V H U F D Y F A
W P Y Y V X V E O Q Z G C R U H Z F O X M V U O W
W E W V R B R K C K X G E T O H Z T Q S Y M A E Y
I A R Y D M Z K P C D T B J A S X B E B D E V I H
S G I Y S A A F O E D N P T K E X C O I F W F C X
G B E M F C J G P S W E A T E R H G Z W Q U R W E
Z B C K U K F Y T D L E K F H S X V L O X A L W U
A X G J E A R F K B L O Z Y E K N H I M Q Y U J P
O R Q K U O O Z E Y X W P O L L U T I O N Y Q B U
K Z G T A S G I U N E C H O J O V M C Y C N V S M
```

ANIMAL	ARCH	CALENDAR	CHILDREN
CLAM	DINOSAURS	DUCK	EARTH
HEAT	INVENTION	KICK	LOVE
POLLUTION	POPCORN	PULL	PUSH
RABBITS	SEASHORE	SNAKES	SOUND
SWEATER	TASTE	TAX	THUMB
TWIST			

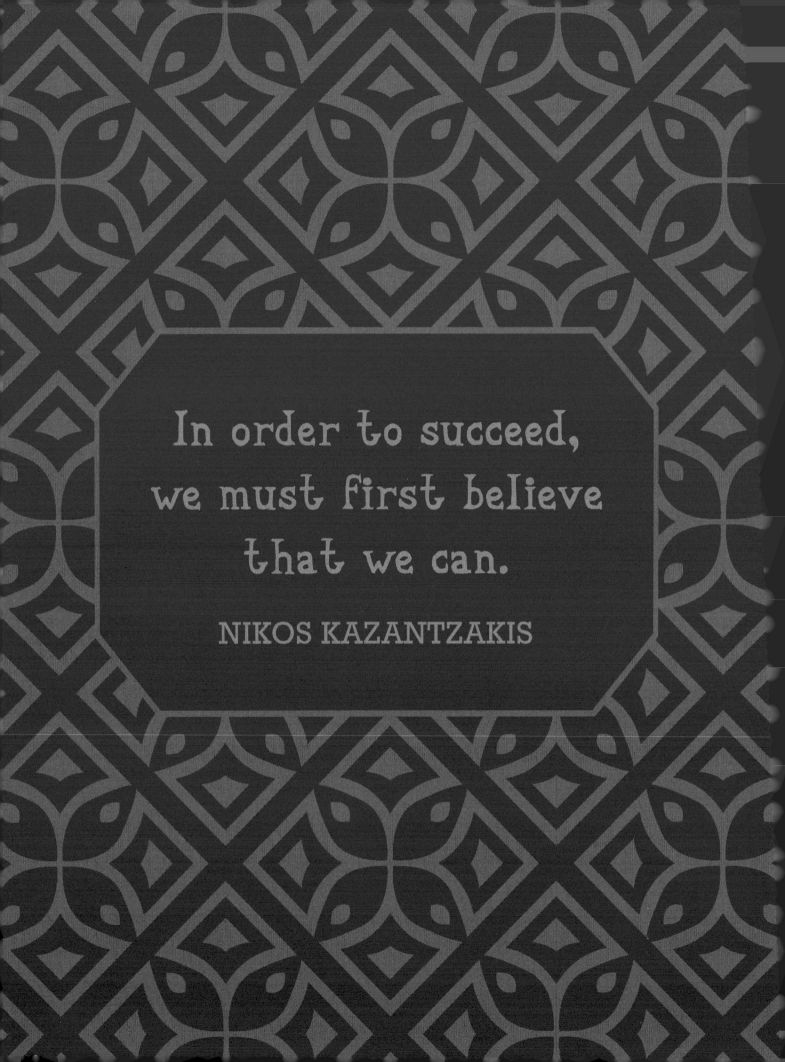

In order to succeed,
we must first believe
that we can.

NIKOS KAZANTZAKIS

```
N V N E H H C D T D A R F H M H T Y L A J P F C T
O R A I N S T O R M T B O P L S J I U E E R H R L
I M M C N Y X R R K C L J T T L R O M H T V I Q U
T W V U A X D N J H F L J I A E V C A X N T L B B
C S D F Z T A I T O F U T N N L R F R O N T E D F
E E F N J E I L L S A C P T E G U T P I E C E R O
R F G T A F C O H P H A R J W A C C W O Q I C Z A
I F J S R P G S N I S A T K R U Q T L S P M O Q Z
D G V I U P I S A T P T Q Y L K D I E A Y G W Q A
H F Q F O F E L X A J L C V D T L J F L C P A N H
B R S O Y Z X F U L J T P U A A N F J I G S K S Y
H Q M L M F O B S A B X F N K C N T V N J N B S Y
E C L M S E D P B C F I S O H P W G S Y E K A V S
I E A Y E Z I S V V R S C U I M J Q D D J X W R S
J Y I R L D C H N E F H G W T I P R W L Y U P S N
H H N N E N F Y R E E F M E Q P K X U J N E Y I W
E B G R R E D J A J T E D F J P Y Q O G I S A S C
Q P S E K K N Q B C X T N I Q W B Q V Y E S N T M
B S U Y S C H O O L A A I N Q E C T U Y O M Q E R
O Z U P D I O K W I J F D K S Y N I B G N Q J R U
X V X W R H T W K F Y W R R Y C P K E Y I I A A H
O J E K O C O F R X F M T F U H N M M A R A S X O
I E S Y V V N L X L R H R G Y L A N B A P N N L K
J J H I N G O A I M H X V V W R H I N N Q Y Y D L
R P D X G B G M E L B B U B F W H M D H I A Z R V
```

ANGLE	BUBBLE	CALCULATOR	CARE
CHICKEN	DIRECTION	FIRE	FRAME
FRONT	HOSPITAL	JELLYFISH	KEY
KITTENS	KNIFE	LETTER	PAN
PARTNER	RAINSTORM	RECEIPT	SCHOOL
SISTER	SPIDERS	STITCH	VACATION
YARN			

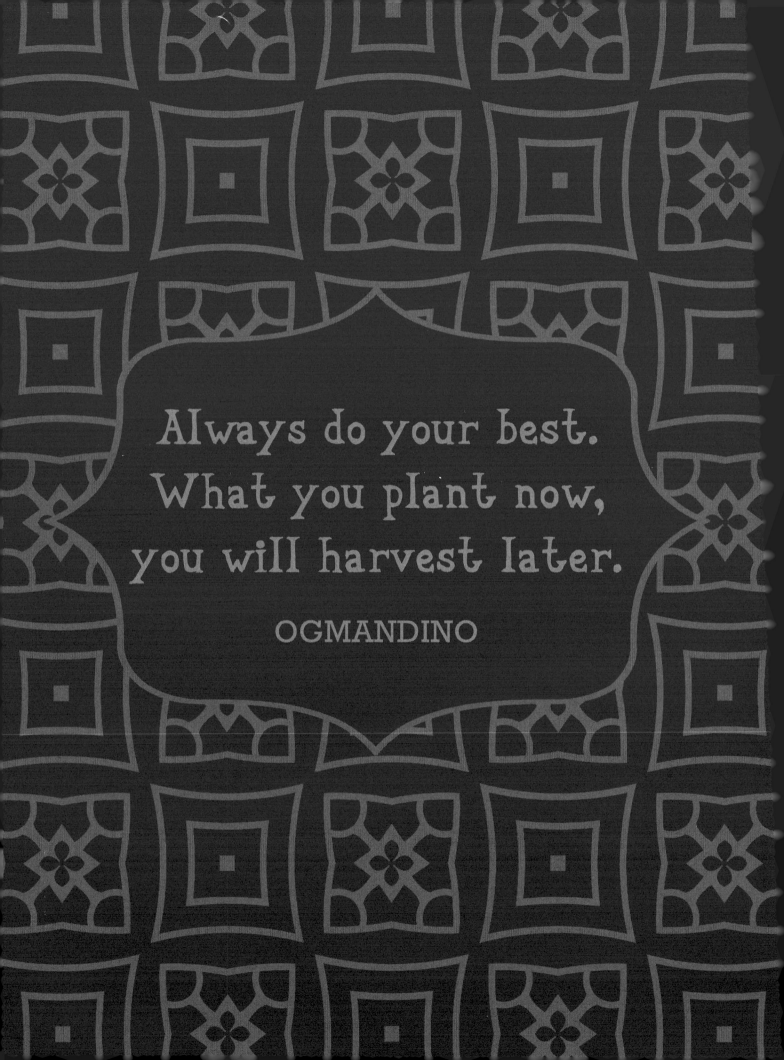

Always do your best.
What you plant now,
you will harvest later.

OGMANDINO

```
S U M X R W N K S G Y A S O G W N U B Z P K U J Y
T G F U O Y L B O Z L G C T N M U D W L Z M J P P
A G E Z U F L V X C K S A O O Z C L N N E S K O X
C G B E T O E Z V F R B Q N W P V T O U Q E K L R
S G W Y E R M L G N F V K M E N Y B R Q P I H E T
B V N L N M U E E R T E V T J S M K V E L J S W T
S Y R M I B R P Y O Y W V X W S U N R Q D D F V D
C O E G T A R W F C O N X P Z L U J T M N N D D Z
C N N K F J R L X P G C B Z Q I C A N E S M U R X
T U O J K T O W H O S T O R Y B T A I R U R P H G
L F Z S S T I N U P T O G C F A P R F C M P M U T
D M B N O M X M E G N O P S O A F N I H M I Q D J
S A A S V Z K G H L R U E B Z R A D A U E O Q I Q
C K A R H Y U Q U I V E R P Z I O E D T R M W P V
E E B W S I E H R E V T B U C T Y O K E F N F O T
B K L U U B O G B T H C R J C H T N E M U G R A W
C E P L U K P V S R R A G B U M G B M P W H P B I
P Q P B A K H K O J G E F Q A E K F A H U U Y M B
B U G A X R D P C L J P H N M T O S O T O Y Z N S
Q S J G B M H F C R S A X D E I O X B R L P O J X
W X N Y P Q I Q R E O V A U E C T X G U G M D I Q
V B E B F U B L Y I R C R F X B F S F A R E Q N B
F J E X H R O B W D G P L M D S J H A B J S P Y I
S G U V H K R A N W A Z D G G H O L O H F U T X A
X F Q D D L E T D Y T D Q J Y L B G G E O A D F Q
```

ARGUMENT	ARITHMETIC	BAT	BOAT
BURST	CAN	CATS	CELLAR
FRIENDS	GOVERNMENT	GROUP	MONKEY
POPCORN	QUEEN	QUIVER	RAIL
ROUTE	SNAKE	SON	SPONGE
STORY	SUMMER	THUNDER	UNIT
WHEEL			

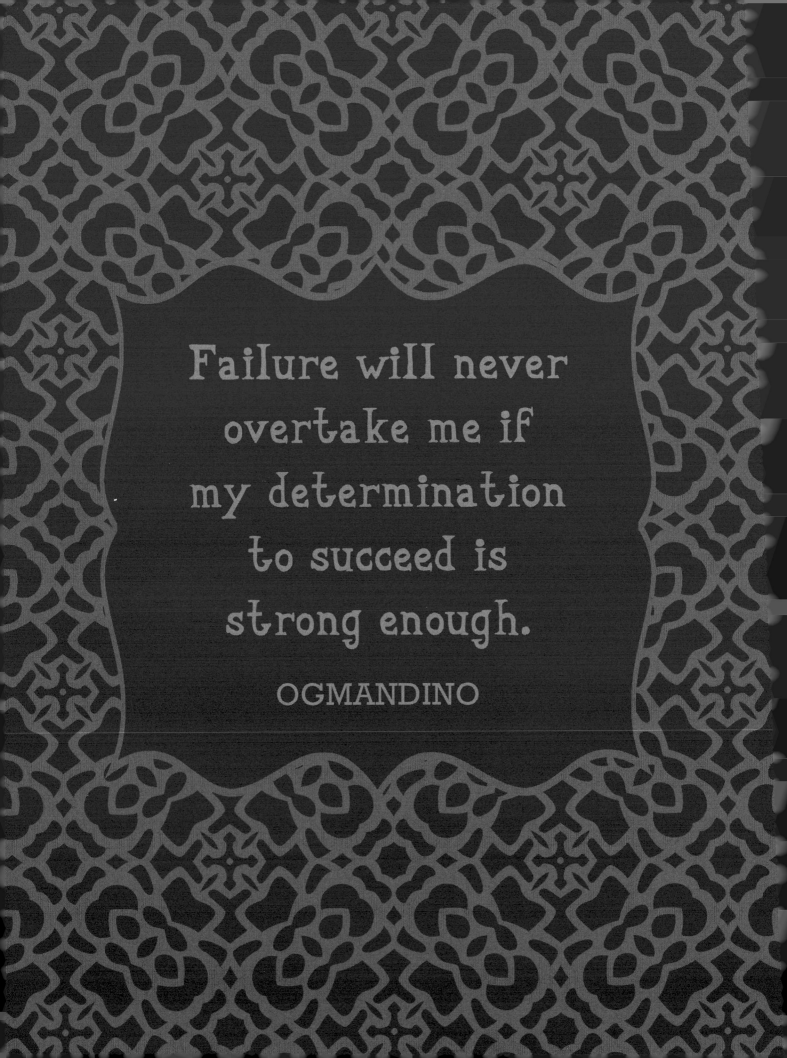

Failure will never overtake me if my determination to succeed is strong enough.

OGMANDINO

```
L B V A R T I G B N G P M W H B M K Y I B O F G S
S N E W X C I O P O I D A N A I Z W R T Q O T T J
F B D D V A E L V G N I I T O Q Y D E K O C I K X
S X I J R P P E M I L F S U Q I S K T E H T L V I
A S A W H O R T A T I D O R Q B T W E L C S U M Y
R Q P O O N O T A N S X S J R I M N M H H W F P G
L F B M M F N M W P S I K N U G L M E Q A J R L L
A H M E F U O J H U Z B X I O X V G C V T A I J E
J E N M O Q O T T X U V H U V D A M G O N F E U Z
Q T A M C U H D R I E D K T V Y M G D O E I N Y A
K K B R L B R A Y S X N N U B E K R B N Q Q D J G
Q A F T T L E I T Q Y S Y M H C R Y J R W C S B Q
J U T L H H P V C C L K T N O I T I D N O C N N P
J K X K B G P U U Y O D E Y L Y F Z U I I N P Y V
G C R E Z U I Z L U U G D N T H S Z I B W E V J V
D Z U X E D Z A I Y D N P R X E Y A B T B D M J V
K A F F J L U Q G T I W A B W O S E B R L C A V H
C X Y A D U J S P R B P C P T K Y J G I T R M P L
O L X L V M F N R Z W K S Z T F C E B I I L P B A
L J N K R M A K M Z X V B X O Z R E E U I R Y T B
Q O J C I M Z I O E B B W E R O S A N A D N M I F
K O O C Q S K R K G K D X J U F G A T V E O E J R
W M Y X J R J R A Z E N E T N W I B L R I R Z E I
X Q U E S T I O N W V Q K G F F W Q A A E T W F E
S J R D A S H A M E A B X X C B R P I Q P H K N Q
```

BEDROOM	CEMETERY	CONDITION	COOK
DAY	EARTH	FRIENDS	GOVERNMENT
HAT	INVENTION	LIQUID	LOCK
MOUNTAIN	MUSCLE	NECK	NORTH
PARTY	PIG	QUESTION	RAY
SHAME	STITCH	TAIL	VEST
ZIPPER			

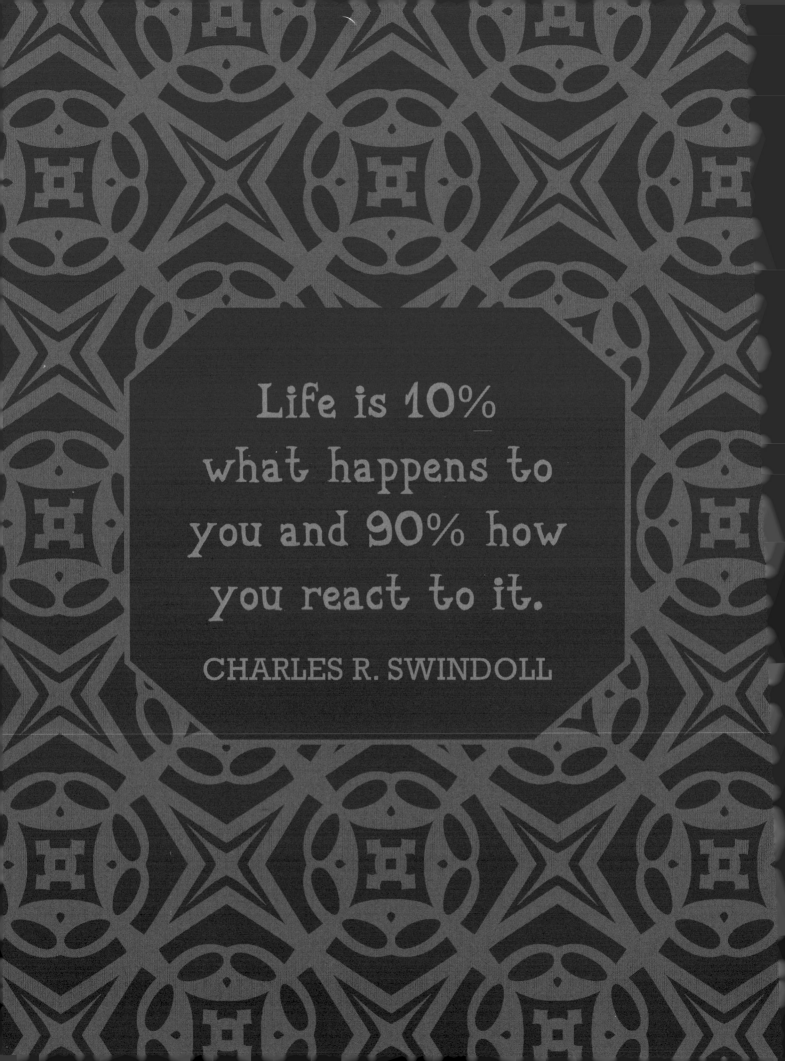

```
Z Z F A P F Q I J R C S D B W I E S T U A S H N S
C D G C R H U U G E S H Q G N T K U T V D R D E D
B T S H Z G V V W G P D Y E S C J R G T D K O X G
Z D T R W B U F V N K Y J A I M H P E I H T L S Q
Y H B I X K A M Q I V O P T O S A R V M N P Y A L
D R A U C I V T E F T H S N I O A I M O M F D P M
V E G E T A B L E N T W T F J L S S I J D U P M O
Q U R S I I V F O O T H P N A I L E Q T Q A S U R
K Q J A O R W E O P R E B J O T U C R I A H Y P U
Y Y L R S G F T T S B Q E N K B E Y F P N D A W I
T A F L B H O Q H I G N N O C P Y Y O U G D R J K
Y P H Y R Q O I N G N X P A C U Z W S X E H N O B
M P P K I T P C D U L U V A E I K D P F R P R U N
X I Q R P B O Z K W Y Y R G M J V X L C B M G K H
L L F F T K W U W W M H N W V J F F S J N U P W W
I O C H U Z N D D O E C W C W N G A L A L J Z H I
F R I Z I L C U O Y H K J W Q D A M H A J B N R R
R O C D J F E B I M E D V D D F B Q T R U C K S G
B U L C F B V J B G G L R Z B J P J O I N D Z M O
P A R T J Z Y K Y R A F U A Q V U I T S S Q P U U
N O L R J L L T F E W C Q S C F L Q T Z P W K J L
Q J B C U W Q E L P X O Y B P H K Y L P D C G K K
J J W V Y L J I T J P X P M X M N X B W W L B H Z
L F Q S Y Q Q W F Y T X K X M Z N V C G Q V H K I
L I A N S N I J K U L I T D I B S Y Y J M B T W R
```

ANGER	ARGUMENT	CARD	CAVE
CLUB	DIVISION	FINGER	FISH
HAIRCUT	JOIN	JUMP	MONTH
PUMP	SHIP	SHOCK	SNAIL
STICKS	SUMMER	SURPRISE	TOES
TOOTHPASTE	TRUCKS	UNIT	VEGETABLE
YARN			

Start where you are.
Use what you have.
Do what you can.

ARTHUR ASHE

```
Y C O F C I B N F B R Z M C X U R V F Y A L V O U
H A A O R A A U Z E E K W L G Z A P X O C N W W Y
X A P G O R L G U A T Y W B L C S J E I E E G U E
I W E N Z Y D E J R S S I J A E N S C D O G X Q P
N T E Z R Y E N N W I H N T M C B N I R S B T U Q
V B X J S F H V T D S J I Q V X S G F E A U S E P
S O T U Z P K Q D B A O I S L L O D N H E R F M H
S D I D S A H T L G N R T E B U M X I S O E M Y C
H N J M N C D V O U O A P N O G J U O S Y Z R Y X
L S D K F S N D H Z O S T C A V Q W J L Q R W N S
D P W G D Y Y V C H D M L R X V J A I L E D Q Q S
I N S T R U M E N T T W F E Z M R C B H D I C T Q
Q G I B K I H Z H T W A G A Z M O E C K V C M A Q
L P C V F U L A Y V T B B T F Y X M S N K O Q S Y
W I B W X E D E Q D Z O X U I Q A L D C J V H T K
N J J F Z R U K H E H D U R E E D J E V W U R E A
M K P Q N Y R X M X K B I E S W F N P Z M I U K K
Q V N Z Q I M Y M Y L T Z T U G T V N O Z H U Y J
K U U B V Y P I H F J U W T Z H I N R P A P R K A
T D I O G C Z O X P K R P N S U J H S I I P F R E
Y X L E I D N N Y F X V Q N Y U T J D S X G R R O
C Y J A T I Z O Q A I M J W C O G W G Q L O P J Z
G N I T I R W Y K E Z W G Y U H O O M O R H F D G
L S Z A P D H O V B Y N I S W N G L O J W S R Z L
G S G T G D B L X E C B R A S S X W T C A F E T L
```

ARMY	BATH	BEAR	BELL
BRASS	CALENDAR	CENT	CHERRY
CREATURE	DOG	DOLLS	FACT
HUMOR	INSTRUMENT	JAIL	JOIN
QUIET	SERVANT	SISTER	TASTE
USE	VACATION	WOOL	WRITING

A creative man is
motivated by the
desire to achieve,
not by the desire
to beat others.

AYN RAND

```
T A S T E Z L Z U D R B F S A B V Y L J G K S B T
D U O K C D Z F T A F V N S O W M T I E O E A K Z
C G Y K S F D B D N Y W J A I R L S A Y R T M O U
T E B X R K K N H Q K Y C R A B X K J V H E N Z M
A M N A B P E A T X I Y D B K Z X H A S G Z Q D W
L Q L T Z L U O R K M B R X R W T N O T S Y B I C
Y O T N A E X N O E Q E E R T Y T R N G Z X D X Z
K J O C K G P X K I G S C K E Z X S D E G V M H S
L A Z W F O F Y S Y K T S D L H X P T T E J O D X
Q D T B D M E C R E A T U R E M C H E W N F C O R
R E B J C R S L C F R A F V E O P I O N E S U L F
X A B W G G M L U M Z U P R U N U F X F C E H L L
H G I U M O J D B J M Q N V B Q C L B R X R X S R
O Y P K X L D V R N V C Y N Q J B P Q B A R U W E
T T U G J Q G T A D M K N P C Q U G F Q A Z Z R A
N R Y B M S Y Y N C X P G U R W W B E A R P I T E
E L V M P P O W U D A Q U Z E C R A M F E S L P W
M U F Q Z G M H Z Q G T B C Z Q I M R A I I L D J
U K F B E E N X U C J E I J I H T P I C W T K R L
R G Q E U A X W K M L J Q O S I I Q A T Y M M Q C
T K D X V Q H C M L O B Z K N P N Y V I Q R L K E
S I C X E S V H R T M R G J Y E G Q A B E D L E P
N N K C V R E T S I S C E R V E T P Z C G P V I I
I K O W B P E V B C J K V I M B F K P S K T D O V
N I O J U J Y P Z P K C Z D E T K Z T D I H U H L
```

ARMY	BATH	BEAR	BELL
BRASS	CALENDAR	CENT	CHERRY
CREATURE	DOG	DOLLS	FACT
HUMOR	INSTRUMENT	JAIL	JOIN
QUIET	SERVANT	SISTER	TASTE
USE	VACATION	WOOL	WRITING

Keep your eyes on
the stars, and your
feet on the ground.

THEODORE ROOSEVELT

```
S G M J D B K Z B N J D W T M E T A L R V L H U M
O W R I T I N G P O Y Y I M H S K Y L V M Y L K P
E T A R K R D W K F A C V B S J G E F L P S D H Q
I H X N T L V O A M K T O M I P D X C T X N U E M
I A A R W H S R K E I Z Q A A Y F X E E P D W M R
I F X E R Y W C T A G F H C G N U M N W L A D B U
O A N L T K Q L D J Q A C V A K Q L T L O S S J I
F U E L V P E R M N Q T N G J V Y M W I C L W V G
F C W D Q S M D N T M Z U G I X M V S U B V W A N
A S Q N O I T C A R O W L U X P D W C Q K J C P Z
B I I P B G H V D T O V J O U Z M O V B Z G O U S
D I B S C Y F K Z B F C R Q K W B S H Q J H S L H
F E R R V D J L F O M Z B U U I Q N N R D S Z S A
G Q A C S P X L H H Y S L E C S E B V E F C R E P
W T R F F A C K K E T L Z N W M S T W E A E Y Y E
E G E L B A C C E E S J B N L Y E A Z V T V T S S
J U G E U Q O Q M X B T U X S D Z T R S D J Z G T
J G R P J L P Q U B A Y F B H P I T I G E S R P A
V B E M L L Q S C U D F Z J D E G S H C B P T L J
K Q T E N F V C J A M Z J C U G W J M U I G P Z N
C T Y L R Z O D H M M M J L E R Z R Z L N N Z M S
Q O X C A L O L L I W U A S K W D B X K X D Q Q A
R T L I B L B P A S C V I I H A R D W S R K E M V
R L I O P T L X J I L G S E H Q T Q I I N C U R Q
W Q U G R K Y K Z U Q E H E Q R P E X H P R J R S
```

ACTION	BED	BOAT	CABLE
CAP	CENT	COLOR	CORN
CRATE	CRIB	CROW	GRASS
LOCK	LOSS	LUNCH	METAL
RATE	REGRET	SHAPE	SISTERS
STEM	THUNDER	TICKET	VALUE
WRITING			

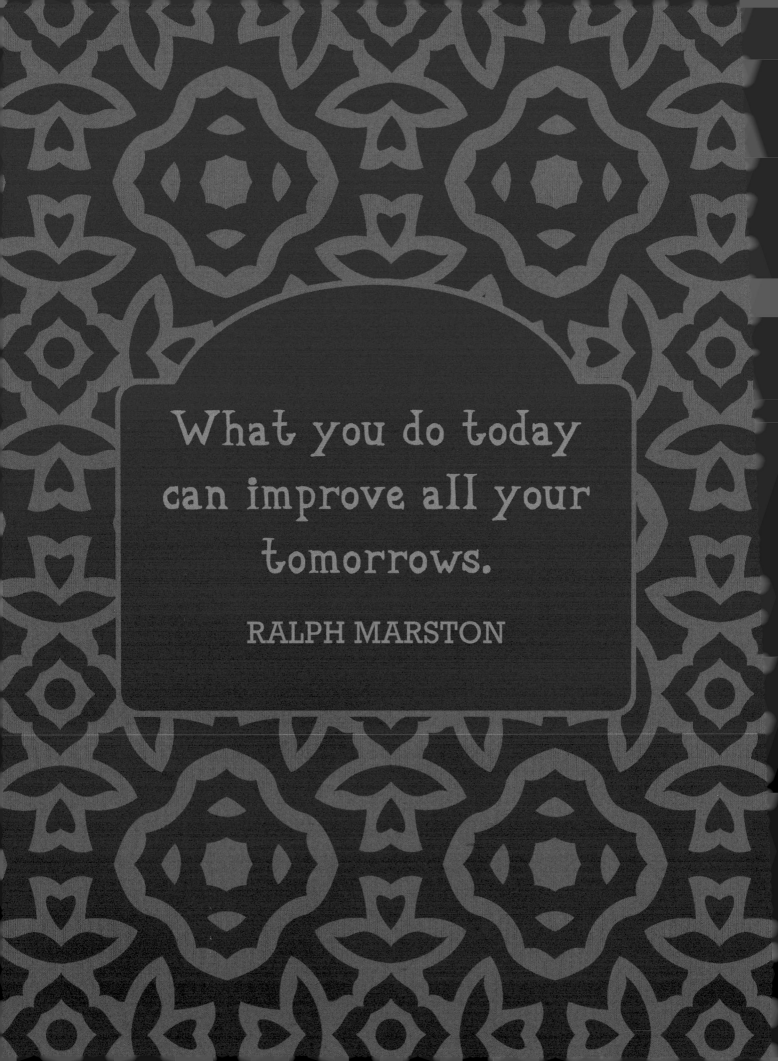

What you do today
can improve all your
tomorrows.

RALPH MARSTON

```
F T Y J L J A P J X N O Y P Y L S V N G V C E L X
W O E H U A W M U H A O S F D T Z S E K A R N M W
U Y W F V U E P M T L T R H S B I D W E N A P H Q
Y Z C L M U H M M X A T N T U A U R A T U C S U I
Q T H E K T T E J T M I Q H H C E E O R G K Z H Z
P G T Y N V A O F T B Z T F U T U A R H K E I K Z
R R F O U L Z H U D V I Y A N M A J C C T R I F H
P O M W U F G B W H F Y J S N P B V R T V U S Y J
T T V I K N E L V E S O M M E K R W I G D G A M V
G C F I E L D F P T S G J Y C N M C A V G Q O I C
N O S Q U I R R E L Z U N W N X K Z C E R C E X C
E D Z N P Z V P V S S E Y M Q T O R H J E Q D Q H
A G V F T N Y K V M I E U W O Z P S M Z R S X Q F
B Q Q W B W J N T R Z S S V Z K J A V R J R X Q C
W R K P F E Q D E O T Q T U C R P N K U H B S I B
P M D N Q C K Y Q T X X I E O T X X L A M V G L V
I K G W A F C P P S T M N S R H W R T M J Y Z E T
W J C D J N S I E N I X H F A S O E Z G J K W Q N
E K Q Y E X A M S I W O V Y X U S N U Q F H O Y B
N S U D I H N Y S A E D S M Z V Y W S Z T Z O G Y
I D N L W O D T H R S N O I T I T E P M O C D W J
G E T N H Z E O S L T N W Q E Q P S S B O H P V F
T P F P H P T S I F K W W L Y X V E U G N M I S C
E F N R O V K Z F A K T S E R T O Y S V K Z B P G
T H G I L F C B U S S R I O C C R T D F W Z G Z P
```

AUTHORITY	COMPETITION	CRACKER	DOCTOR
EGGS	FIELD	FISH	FLIGHT
FOWL	HAT	HOUSES	MEAL
MONTH	NORTH	OATMEAL	RAINSTORM
REST	SAND	SHOE	SISTERS
SQUIRREL	TAX	TENDENCY	TOYS
WOOD			

Believe in yourself! Have faith in your abilities! Without a humble but reasonable confidence in your own powers you cannot be successful or happy.

NORMAN VINCENT PEALE

```
E N I L D Q H K W E H B N S N N D I V P H M T B U
V K F Y I S M X F W L W P W V I E G X A T Q J N C
A E J K P I M O T F E B X V S U F M N Y R U I S K
R Q Q F L U W V Y Q S K A T E H W Q O S I T K S Q
J J W G X C D J X E P Z R T G U D N O W B P B I B
G S G B Y Z N Z V J K I Q N E R S P G Z L C S K G
X H F C Y C F Y Q K B K M B N G H D R D U E M Z M
E O B I W L L W D U X L Y Z Q S E R H O G F H Y W
G K E H J V M R T D O C P P A Y D V H N F K C F R
K W V I K B L I B R A R Y W R T O S A S W I Q T G
P R A I N T O U X B U Q W C U E S R L P O J T D U
Q U S R R N L L A B T E K S A B O E M A R F V Q M
S O L K W V L G B I E L J W L H A Q D N V A S Y J
G Z L L C M C Z G A Q A P K X D F S O W H C X P C
Y P X E Y N T D A P W V U M U B J D G P F K Z D S
Y K Y H E X Z X Q C G E X L A K E O F G O K R R J
P R B H Y R H G N Z C R G B W L S Y L C H T C O C
M D W B B L F H E I V T N A W K R W P M M M W C Y T
M J Y H J H R S O S V N S C A T O W N B D E C F M
T W X A B M O V P E A U A G T M S X L J E M A B I
P A C R E O N D W E N L U U N F S U U S D R L Z Y
A R A X U Z T K W D N X K N Z A I B D E P G A M A
B K V Y M Q K E X Z S U S U W R C J J T N R D P X
E B S Z I A H D Q E Y E Q C Q Z S Z W Y D J O R Z
W Y B I P V S X O C O L W O E X C P F T X G F Y Y
```

BASKETBALL	BIRTH	BRAKE	DISTRIBUTION
FOG	FRAME	FRONT	GUN
KISS	LAMP	LIBRARY	LINE
ORANGES	POT	PROFIT	PULL
RAIN	SCISSORS	SEED	TOWN
UNIT	VEGETABLE	VOICE	WASH
WOMEN			

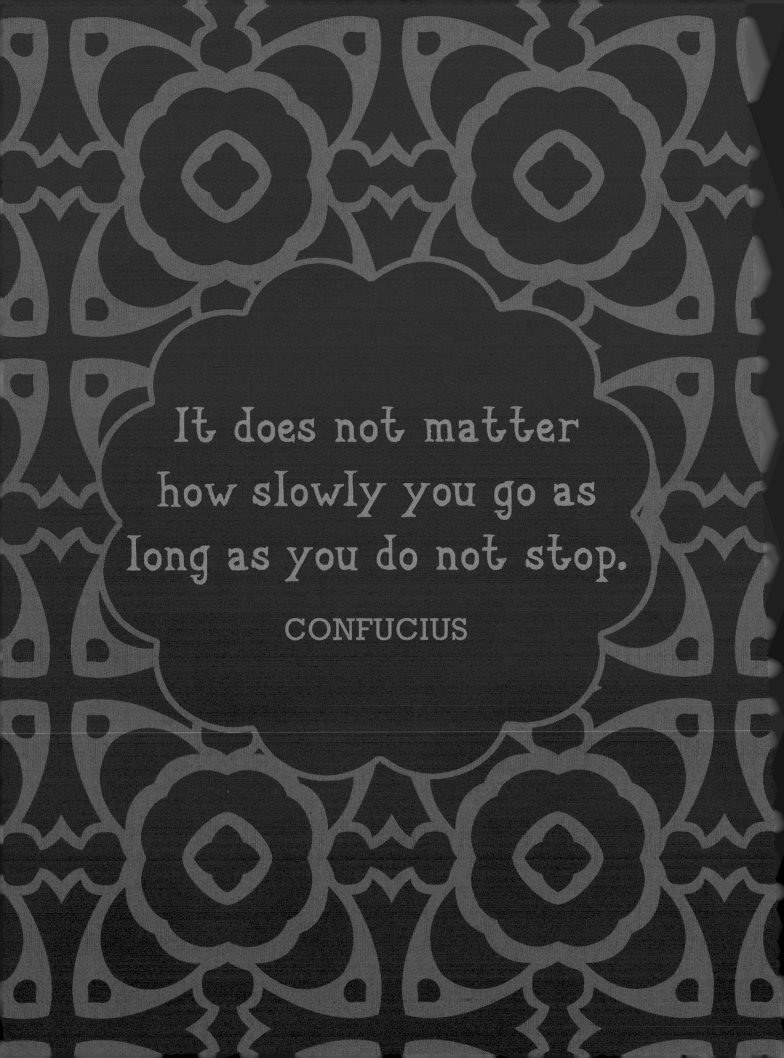

It does not matter
how slowly you go as
long as you do not stop.

CONFUCIUS

```
W J P H E H S W B G B M J N H Y Y C S N F O G L T
C K Y C A Q T A A R O O L F S V S O O B E A Z Z A
S F A M P S H X L O V E S V A V M I T X R V F F S
A E M H L Z Z X L I I S X Y C W T G U Y K R K Q Y
P E O C E A N I X C X U B K A C K T J F L T R L P
R K U A L B I H J O D B S S E O P E Z T G F D P D
P E Z M D B A C M P O D X L Y V N I C N Y C C L M
Q E H Y U P N W V F B M E S O P R U P C K O Y F J
J S R R A O D V O H S S E D Q I E Q X I L N F B Y
M B Y L R Q T J X Q T E G D Q H Z D F V M O F K L
J R R S R W R B E X E K O E G W H E D I Y C T O U
S P E R Z I Z W U C P C S C R L R M N X V N F H D
C B L E Y H G D A T X X H Q G K E Z H I R G J P F
P D I W C F B L L J T F R M B V F X K O H U U J A
F U G O N E E H M C Q E H J R W L C L O T C O M E
U D I L B N A V O E T O R B A A T L J G E V A V F
M I O F D C J G L R P J D U O P L M L Y I Q X M F
Q M N A B T I R A A S J H C C Q P A G A I C O Y D
J C R Z L D Q U P Y D T J K M D D A H Y B N A J P
A J W Q K G Q O O O U B E E T L O J R L W C N V M
E W M S H H D G F D A R C T N B E Z U A P U S D H
P O C K E T Q S R F M N N H Q B H Z X P T V Z B R
E Q K H S A L P Q X E O R K G Y Z F Q Q O U Z L E
H Y Z E K I B K D W C S S D D I N O S A U R S S Z
Q C S L B V A F D Y W H F T K B Z P P N V Q E G P
```

ALARM	APPARATUS	BALL	BIKE
BUCKET	BUTTER	CALENDAR	CLOTH
DINOSAURS	FLOOR	FLOWERS	GIRL
HAMMER	MACHINE	OCEAN	PEACE
PETS	POCKET	PURPOSE	QUARTER
QUIET	RELIGION	ROLL	RUB
SELECTION			

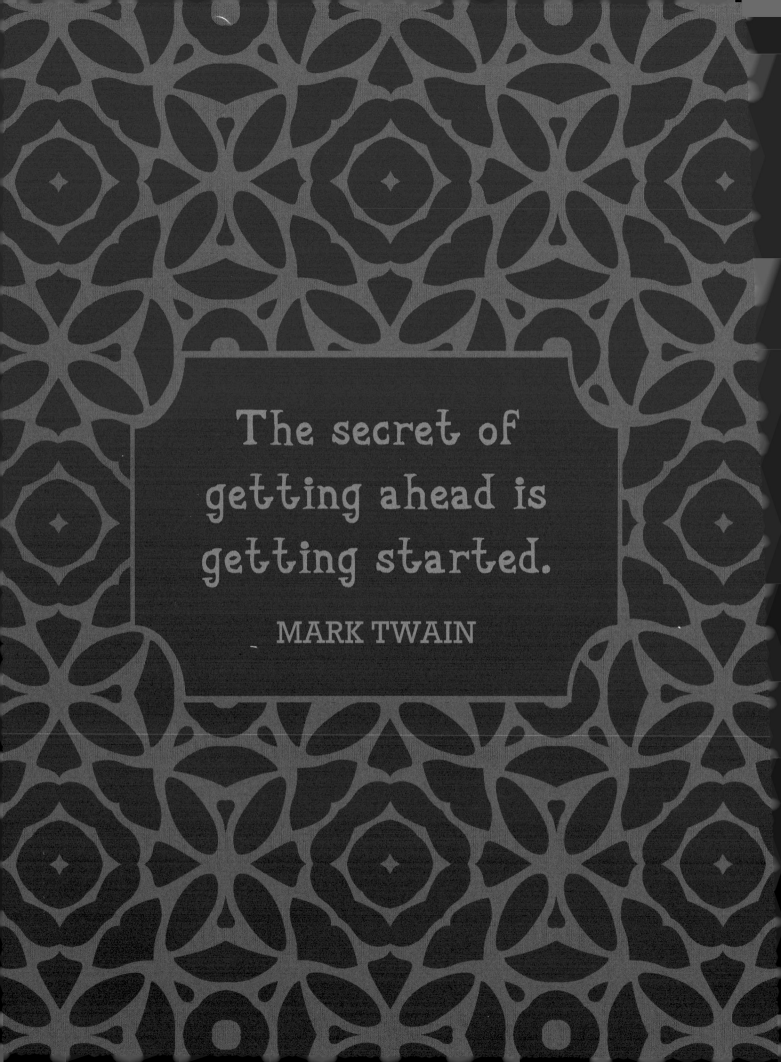

The secret of getting ahead is getting started.

MARK TWAIN

```
Q G M B I J Z N R C R R R E E F U I T N L J T W T
R C U H E A L O O W D T O G T Q U A A A Q G P A R A
L I C N E G R I M I G P D O Z G Z J E W G L A Q X
A S Q Z X E I S X O T I X L T T A P S V A I Y S X
Y R O E H T D N H O R C B O E O L R R R N P I H Y
K F C L P X J A N B T I A Y W G W I M S V E E W V
L T E C F A Z P L E G I O X S Y V C Z C B V I H H
Z R D C S D Y X R B R K I N H H T E Q E Z V I N D
B W Q V B U G E A U E W N D T B P Y O J C P N D B
X W H F C Y K A K S D U J N C D Y B C P J I V Y W
P J X O U E M A I W P M Q C Q G U A K R K S U H O
N U L E A R R T Q E R Q J X X X F T T L I T U M A
L L I U Q C K U B J U I J Y W H H D J W S A T A
O Q M F V M E O U A P O H A K T W E F N U A F D K
B Q M X K M O Y M U I Q S O Y I I N V H Z N C Z T
Y Y H P J Y N K R W O H G W U Z I R L B S P A C E
S W Y C B M B A N N A G S P H N H G O J D Y A R A
D T Q O A A E L L A B Y E L L O V Y Z H U U N O Y
B U S I N E S S U J I W R Z Z T C T P X T W I B A
M I L B T G Q Z A T F K U R Z N N K E S W U M R V
Q H R O Y W G F P O O E D W E X O F I T V P A A O
Y C N N A M D I R H B L W D Z A L S I Z E O L H N
R P F Z A K L S X S W S N K E C L A V O B O I K P
S O V C E T Z Z U B Q E K Q L W S V P M C G Y C U
D J F R X I T S Z P T N W E H D F X G E U K C S E
```

ACTION	ALARM	ANIMAL	AUTHORITY
BATH	BEGINNER	BLADE	BRIDGE
BUSINESS	EXPANSION	HARBOR	MAN
NOTE	PRICE	QUILL	ROOT
SEAT	SIZE	SPACE	TENDENCY
THEORY	TRAINS	VOICE	VOLLEYBALL
YOKE			

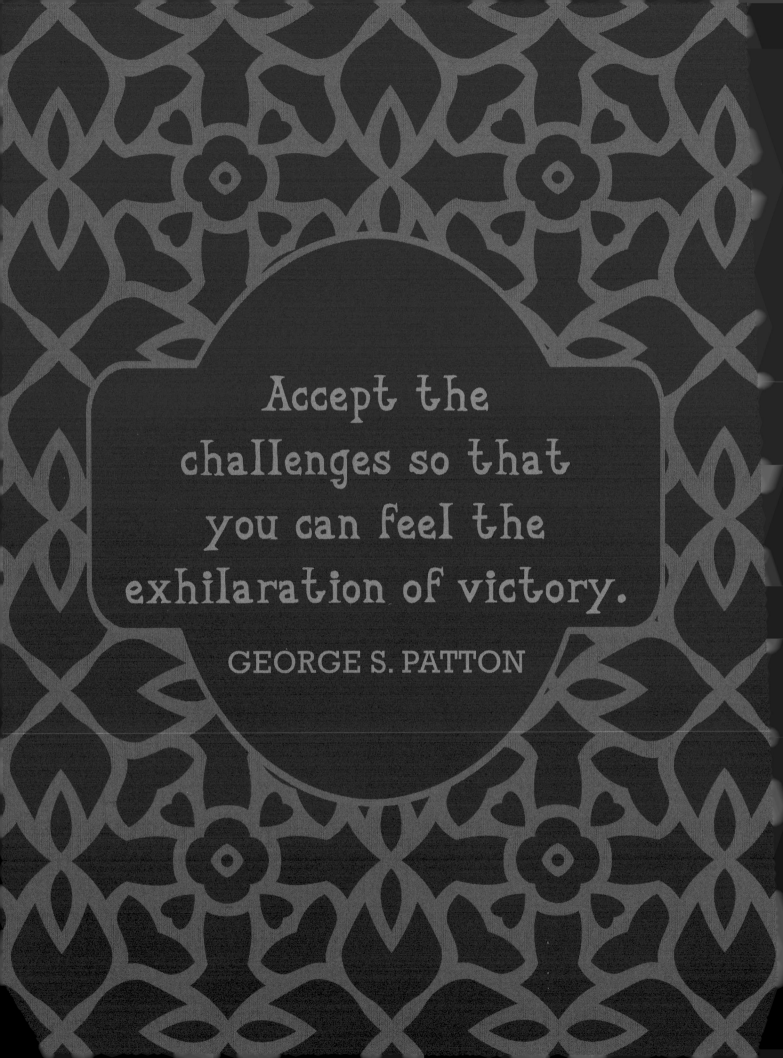

Accept the challenges so that you can feel the exhilaration of victory.

GEORGE S. PATTON

U T O X S E T H A K G Y N W B P S D Z A E Y H Y A
Z Y D C P M N G P K O E L Z Q V R X H S R G S J C
Z S X Z C E K I S P S O R A G J G X G X L F Y E Y
J G N K K H J I N O R E H C E W H D W Z S P J V N
S E V H V U V X H U Q Y H Z F K E X Y Z L L Q H O
F F L F G E E T N U M O G A P C S N P S I R O V C
M E D L G D I N E C O I P A T C A F J V O X M L I
T J G N Y G X S R E A K N Z B N M V N H T N L X E
S V A A E Y T H W G I T O E R G M R U W D R C G D
A H I R J Z N W T X B Q S O G E R R Z E S K J Q A
C A J L L K Q T M E O K W C J N L O Y R A R B I L
N L D W U M W P B N E R S K U E I K X R R X W T N
B J M W R Y T K Q T T T P O P L B D S S U L G W J
N E X X C V D D Y F J N V I S K R X A F P I I M E
Y Y X C Q L Y W D Z E T D G A J S J K E H N A N A
D Y O U Z D B D V J K E N X I C U H Q W R E P N A
Q T D L Y O V K L D T C V C U P L W T R M E R N N
L Y V P M A T S J R W C N W D E J X W I N D O W J
A O O T A L Q M I N T I H U K W S S L Q S X S T D
V N Q U P S E D V G Z I B R B Z C C N C L U D B P
P M Y I I H K B I N P Z H I O F Q R I L I C Y U X
Y G E R H O V I F I M D A O Y F R P E N R W Q X L
C A R T B E X V P R A V S D Y V W O V H D B V I X
O K O G H S V S C T J C O P S U P K Z C H U Z G B
E T B J B Q Z C V S B C X A R Q H C Z M P W X E G

BOY	CART	CAST	CATS
CHANGE	DIRT	FACT	HOOK
JELLY	LIBRARY	LINE	MINE
MINT	PIE	READING	REQUEST
SHOES	STAMP	STRING	TEETH
TIGER	VEIN	WHIP	WINDOW
ZINC			

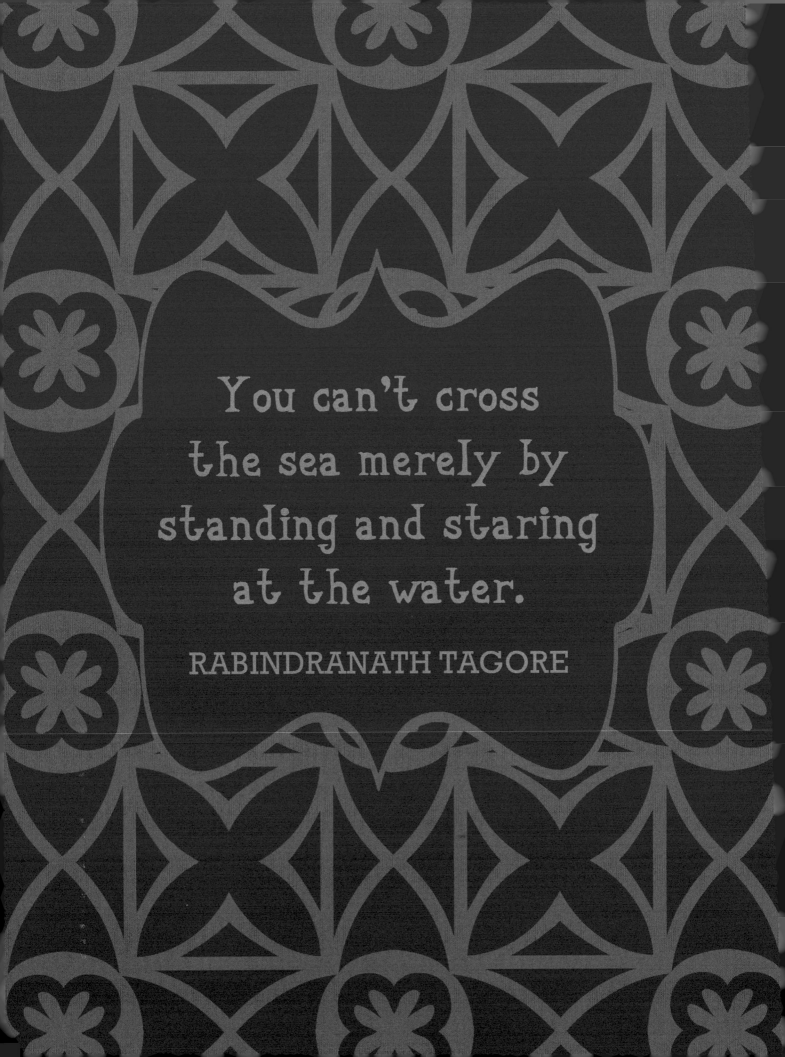

You can't cross
the sea merely by
standing and staring
at the water.

RABINDRANATH TAGORE

```
P G D A J R D G S N E L E H S I L T Y R B L P O H
Z U N Z N E Z L T A R K S M N M U E D D I Z Q A I
Y N O I B K W J N S U D E Q O C H B Q N Q E W H S
Y Y A R N P T F B E T G H I R T A G E F E A R T T
J B Y D G R T S X O X Y Y I R D H N W L Y H R N O
P Z S E K O O J L L E A A P C B F E F V C M N U R
D P V D D S R M E K T H G Q C M D D R P R Z P M Y
I O C E G S B T F Q E A E E S P P Y L J N R W I B
Z T V G C S T C D P Z C O B W E B A T G U B M I Q
C S N B T U Y Z Q K G E K A C N A P N T X K C T K
K A U A C V U C A G L K M B R Y K U O F M K G U C
A F V E N F U X C A X Y S A V V M U R O A F C L W
C I J E O A X U E W F I J G R P V F F A E K F O X
X G E U I H R W M V H P Z R Z B E F V H A T I A V
Z V U R D M S S P R E Q U N P U J Y E W B I N B J
A F B F E L O H E J D E V L D R Y N S Q E S G T F
R P I Y I A A P L A T Y Y G S U F J E P N F E H I
M R P S K C U D G V E R Q X K R V A H B D D R E W
E K L A E H F A Q M E V G R N Z F S Y I P O Q C F
E O B K R V P J G H N K N M V M G R M G W D F X V
Y Z G D K A X S A Z O L Q J Z N T A A N V M Z X V
H Q B O Y M T K E O K M L Q Y Y O Q N Q H A E X R
Z X L X X O L U R Q X G O A U Z L X G M S S B G H
Z M M I A F Y C S I D R J X W C W T U I U K I H L
W A T E R A L C V N Z J S C Y W H J H O F S Z K H
```

APPARATUS	BED	CAVE	COBWEB
CROOK	DUCKS	FINGER	FIRE
FRONT	GROUP	HAIRCUT	HAT
HISTORY	HOLE	LETTUCE	LINEN
MASK	MORNING	MOTHER	PANCAKE
SEA	STOP	TEXTURE	WALL
WATER			

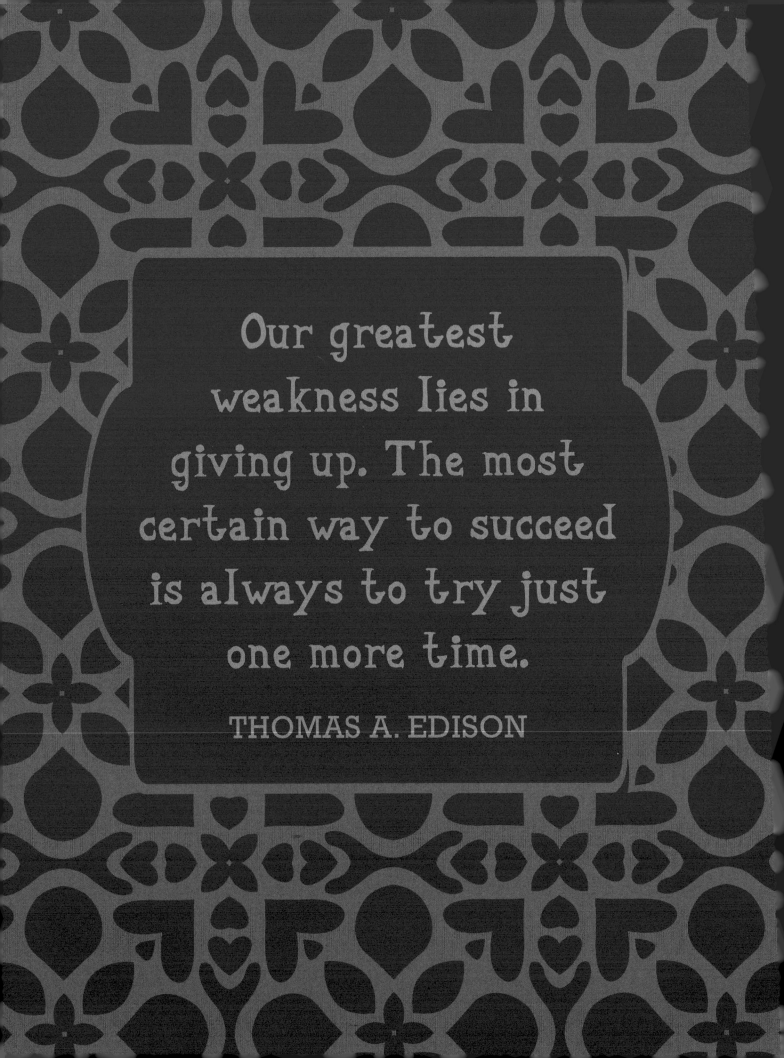

Our greatest
weakness lies in
giving up. The most
certain way to succeed
is always to try just
one more time.

THOMAS A. EDISON

```
V Z U D Y C M H K G D Q I R K I C A C R X G X Z F
Y K H B E M S O A W L A S M L W U R U G H E Z Z O
B P H I Y W I S Z S T L K U E P I O V F C A T L U
W C A D A Q O P P L M F A K H M O K P Y P W X E M
T T Z S X O T I L Q N S A W E C A I P V X P I K I
E E C Q S B A T A A A C E Q F L D F E U O U H H W
U U S M M E U A K N D B O X L F E A I E R U E D X
D Q O T O S N L L C Q X A J F A E B J Y O A O C I
Y D R F R W Q G T A O O K I T T Y Z V Q H J N H T
L T T Z G Q H G E L E S E T O O T H P A S T E G D
E A P I A I T S L R S D S T C N D Y J O O H O K E
F Z M X K G L G E W A W O R K Q D Q X B H H H L S
H L M I J Q A B H L J F L U C V T U V X P H X V
Z D O S N E E N B T C C K K R D N R R F U D K L V
R W A R V A H Q J W S E C N A L A B O X T O O R J
A K N U T R W F H Y T S P W U S U G U F X X E V R
C U B P B Z H H Y N E I G K V A P Q T W C C S O T
R R B O I Q O B Y N W P F N W W A Q E F H D A P A
V X L Z Q V U S L V B T E I R M H F I I M U B Q L
D G E J D F I Y M L L N A U L U D I C R I Q V M L
W A S B Q E A U K A H N V C X H K J K N Q G A O
Q V U E G U T I I M O H E Z X K E R Q P T T T F O
R T H J I Q H S O R L I P K P N E W W B M E Q G C
K C O E M I T D M L T M X S S K K V H U X O L J J
Q A M R Y P P G V K X G G Y E G H J U U Q P E N Y
```

ANIMAL	BALANCE	BASE	BLADE
CAKE	CAT	CHICKENS	CRIME
FORM	HEALTH	HOSPITAL	KITTY
MINT	PASSENGER	PEN	RANGE
ROOT	ROUTE	RUN	SOCK
TEST	TIME	TOOTHPASTE	WALL
WORK			

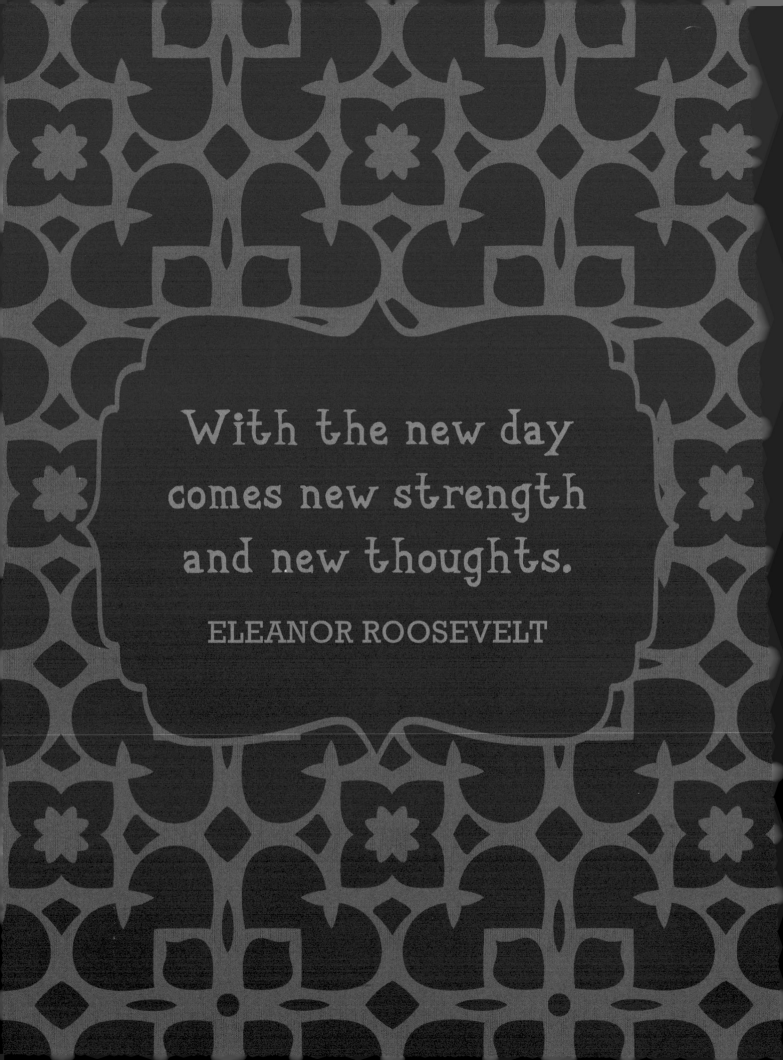

With the new day
comes new strength
and new thoughts.

ELEANOR ROOSEVELT

```
Z Q B F J F H V Y I J J B E P R L O E I E F X A U
W H B C S P X P J H C I J A N V R E Z M T G A Q Y
P B T W U P A R T P I E J R A P R D R A S A G J J
P S J L L G V B T W R U D P P T H T S Z X E Y S N
U I L X L F P E B U X P A Y M E N T L A E M M H Y
V H C W G I O V M G E N Y N Q I E B I R D D K I Y
W L T H A R C H F U B I T O V J B M P K C J O C D
O J J L L J S N N F L V Q T J L P K W Z K D N T Y
B L X B J W Z A E C R D H A N W G Y S R M X O G W
A U F H A G N P P P D A I V C T I Y S E P Q S R B
K J E O J M Y A T I X D I N S C Y O Z Q M G B R X
P L L J I F P O Y X T P S L J A L P T U K H M R Y
Q B U T T E R K X V U T O U W F Y L F E U Q Y E M
E C O P P W D P N G R X N V A A O T I S K H S G I
H D U T B S A I N H S B J B W C Y H R T P R L V L
K G W H A G T A A D E T D V K X D F E E M A V J
S L R Q E B E K M D U R E E D D X L Z T P F V K N
E G V F O W W C E B C C T W V V B A T X M U E O Y
T F E Z E S M W A Z M W F G K W A E K L R I I S G
N L N L R U U Z E C U M N Q K D F W R D N T M Z Z
U E L W K O H G S E S U O H X L V F M J C H S U Q
G K E X V C Z D J F R H S E K I B B S A T S Z N S
A R U D I F L Z N N D B U L G I M E E Y T Z N S K
N V D A L Z O Y F C O C J U E O K R U D W E Q A E
T T R P H E S F T S D A I J K A H W V H D L A A G
```

BIKE	BIRD	BUTTER	DIME
EGGS	FACT	HOUSES	LEGS
LOCKET	MEAL	NAME	NEEDLE
PAGE	PAN	PAYMENT	PENCIL
RAILWAY	REACTION	REQUEST	SLAVE
TASTE	TIN	TREE	WEALTH
ZEPHYR			

The will to win, the desire to succeed, the urge to reach your full potential... these are the keys that will unlock the door to personal excellence.

CONFUCIUS

```
T M Z D C E E P L Z O T W I W G N O I T A T S B A
E I B W G R B F T K A E Y T N Q O O W R R I A P C
E U E D C I I R P Y S K I E R T K U I A N B P W T
L A I R J Z I D E R B C A H U H E V P T Y S N P I
S R O Y Z I N A I P O I C H I L D R E N C H T N V
B O F T T B Q Y T X P T Y O H K F W E L V E Q U I
K D Q V N T K A K Y W O K C S M J D X S H X R T T
N X Q E A U I N K V X U C X P W B X M Y T S H I Y
M S N U H N P K F J R M A B C L M D B R A N C H D
K S M D L L S M T W V D U B A C K F P L H Z P W
N O I T C E L E S X E S L Q U A N D S T H N T Z R
O J M K B F C F R Y I F R A A L M F Q H Z Y Y M V
P W K E G V A C M N S J T B K V Q F B L I O S Z Q
E E Y G J B D C E P Y T W Y G O W U I V G P M F U
Y B Q F R I U S T C K C E X T I J M H C K B W U Z
O W T M B N S N J E W X Y M G C H W S P W B B A C
X A W N I B E S Z P U S K W X E U Y I W D V V O O
L S A X C M R I K A F D X I J X F Q F U V H J E H
A R S L E Q G D I B T Y C I K Z F H Y Q G X Z S W
P M R E A Q M E S Y V Y G N R C C N L M N Q R X T
R R R U V H K D L W S H Y Q B Q W D L T E N O S T
I G C R W N E V P W L X W C C I S E E C X L Q Y Z
A S W L W X W W U B Z B T P E H Y R J I X C O Z L
J I C Z I Y H T E F F W I N F M D J B C Y H J C I
F T R O U P W L D N I A R G U U I T C I J V L Y A
```

ACTIVITY	AGREEMENT	BABY	BACK
BRANCH	BRIDGE	BUSINESS	CHILDREN
COPPER	CROOK	DIRECTION	GRAIN
INTEREST	JELLYFISH	KITTY	PART
SELECTION	SHIP	SIDE	SLEET
SON	STATION	SYSTEM	TICKET
VOICE			

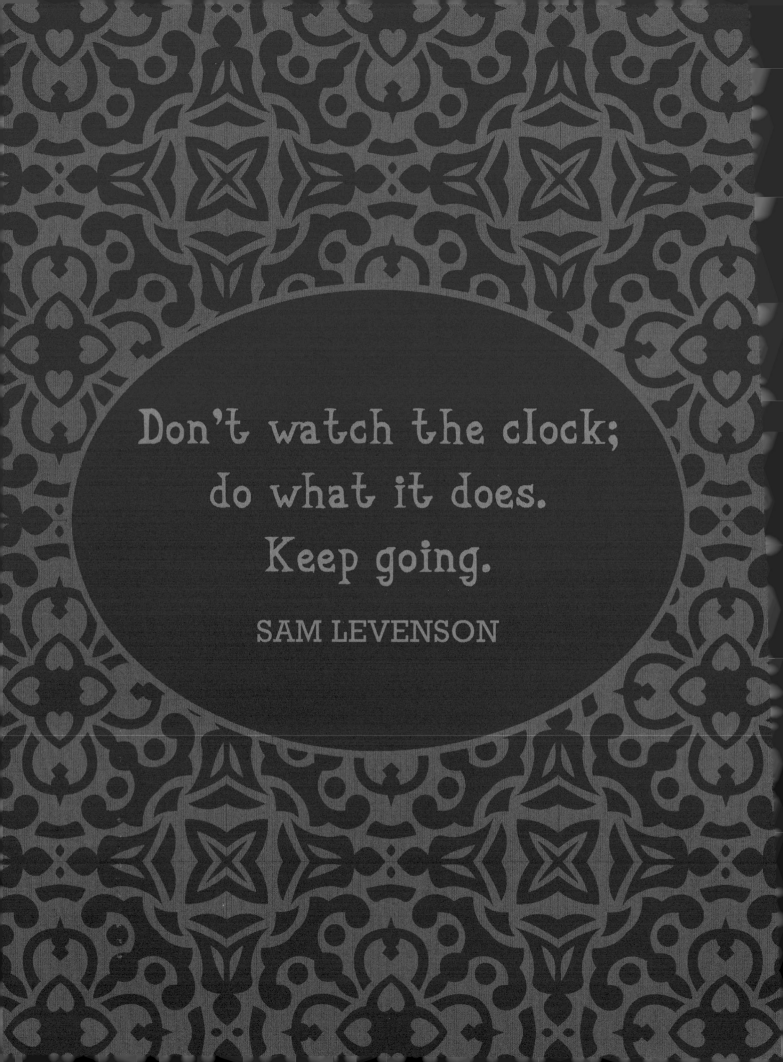

Don't watch the clock;
do what it does.
Keep going.

SAM LEVENSON

```
G R I W I J X B R O M E V X Y Q K B L U B L G X P
G D A C X O C E L T C D W F F Q X O Q L I R S Q A
O S C I B J W M D H U R K E G S D C O A I H W X M
I E Z L N O D S F J X G I Z D S D E J B W S I E W
S R I Y P U P O A O P U T K E I Z N T U E Z N V Q
H A C S I G N L Z W R E T O N Z D L A B L T G T A
M L L J C A T L I U Q M I L M E V O E H D P O B L
G U A D L C B G P E M K F J Y G I M M W Q C D N S
B L M S O B S B H E S S O Q Q I V M H X Q T S F C
R E N N I E B C I G D E R N K J S A M P V M A N
L T R J X P V T R B I S F G G Z V P Z N E B L C X
L N O D B Q E K A P N Q L S Z G T G Y V S A T A F
F O J Q A A I L A B O R E R P N T F D H J Y V B S
U R Y A F K L A E S H L B Y J L E G I I J W L G J
A F O F R R E F U U A J G E X K O P J X G T D G F
Y Q X E P L B H W E W V A D D B I U O M O Q P O V
O Z C I B Y G J U C L R U L M M R A G C L U B K F
G J L O C W Y T Q B T P C E N A V K T H A V R M J
L B X R S Z K W O H O W J K B B V I L T N X W D R
T S W W N E W F Q O T I E H P X M P K J L U W C C
Q F U H S J A U H Z R P C H O I R G T Y S A E M R
P K O H Q J A T I I X Z H X B J D V E Q P Y M U Y
O Z I L V K R N O O N B V I O E D Y K U C T E H F
Q R E T E X O O J C D N I V P R S G S M Z U M E E
T R O U Y Q F P L S N N Q P P B U D M K F V T Q I
```

ARCH	BEGINNER	BELIEVE	BOX
CLAM	CLUB	EARTHQUAKE	FRONT
HANDS	JAIL	LABORER	MAILBOX
NOTE	NOTEBOOK	PLOUGH	POWER
QUILT	RAIN	ROOT	SEAT
SHIP	SHIRT	SIGN	SIZE
SWING			

Infuse your life with action. Don't wait for it to happen. Make it happen. Make your own future. Make your own hope. Make your own love. And whatever your beliefs, honor your creator, not by passively waiting for grace to come down from upon high, but by doing what you can to make grace happen... yourself, right now, right down here on Earth.

BRADLEY WHITFORD

```
B P P W E S X I E V D P B F O W G O B F U I T H R
L L Z Y I L U R K N K R O R Y T R F J T D W U I O
R A O A D N U L E G N E W R X N R Q F A Z N F H M
F T W N Y T M G D F L H E Z T Z M P M M G L T A J
L E W T C S D N A H W T X T O E J C B G E X C X F
J F K U D I G E S T I O N L N C R O S G O D Z F T
S M R W N I D Q N Y V M G I Q X N H J J V I V K T
X T M N F Y B W E R M B M N D E D E F Z T I Y J G
S C F J A P M L I K E D Z E I A F J M N U Q X Y Z
C W D H N Z A R X E I M W R H H F D S N O K J V I
J E C N A L A B S B G T H X D O A T Z T V R H U I
U O L E I A S I P A N G I E N B S K I X N O X Q N
J G O G H M O Y K O V N A Y H L J E V A I V E Z P
N S V H C N D E I P F E F S E S H A T P V C R P X
V F G I U J M D X J W A C I T W D D L O H I D Z R
J P A S O U O P K L M E I N M N T A H U M C P R L
E J J T T N Y O S H O L X T A G E K M T S S K E O
S X L O T J M I G O O Y Y P V H I V E X D W U B Q
S H O R J E L X L A R Y R O A T C K E N Y F J D F
E H C Y L E C Q B V H Q Q J T N C J D B U J T T Z
E Y U P V N U M V Q C C X E W U S X Q R W K X T D
B H H P S P M Z G N Q N J B M O I M R F Q Q O Y
H K M W B X Q J Q Z U S F L I L K T O B M W O E T
G I A N T S O L A A L N L K R R O A D N F P M D X
K T S K T M L Y F D N M F L W C W G P T R Y J C W
```

BALANCE	BEE	BONE	BUCKET
CHANCE	DIGESTION	DOGS	EVENT
EXPANSION	GIANTS	HANDS	HISTORY
HOSE	KITTENS	LINE	LUNCHROOM
MIND	MOTHER	NOISE	PLATE
PORTER	RIFLE	ROAD	STRUCTURE
TOUCH			

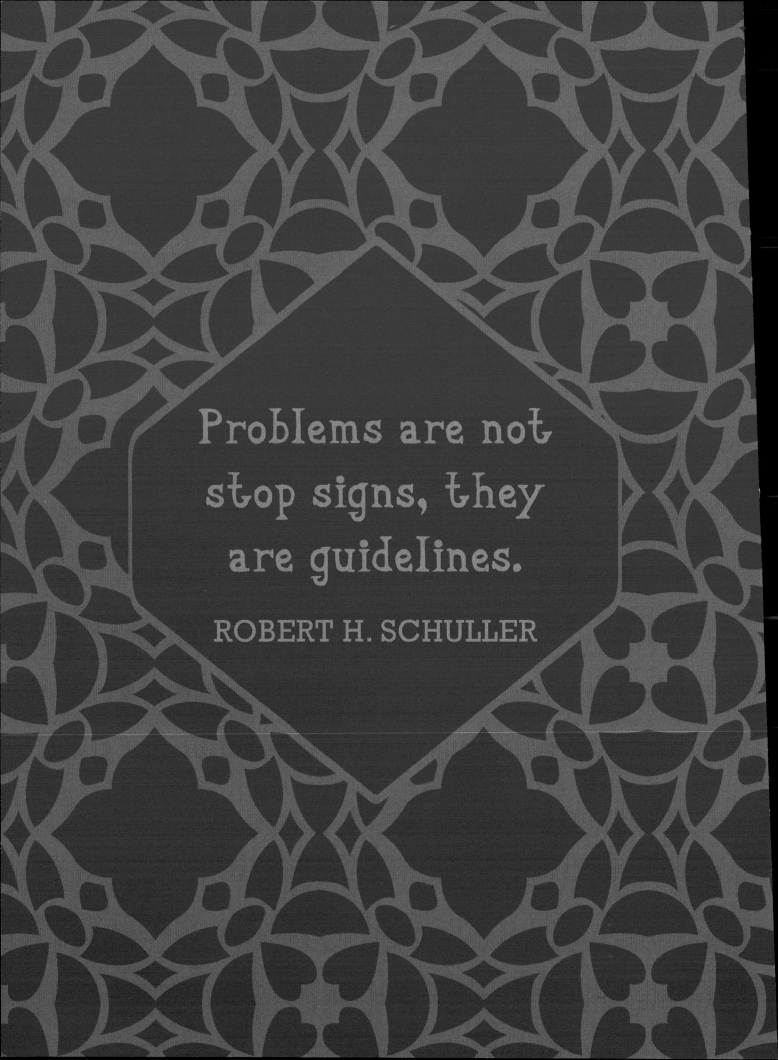

Problems are not
stop signs, they
are guidelines.

ROBERT H. SCHULLER

```
H E E M T E J G V B K N X F A T J U P I Z B Q U D
K I L H T Q C N F L L P D S O G X N R I P T L A Q
J J S B Y A E I Q E Q W I C O O K C M J E Z W H N
W H B T R K R H H S Y L M O W Y N M C K V R E L E
K H J H O A W C Z S V G B M O M Y M Y O B B S Y S
D N E I G R M A X E K N L K Y X Q I M P U L S E T
H A T E X Q Y E R V G U X I B Q Q S N U U H T K N
W T W E L N T T E N I L K N N H L W O G W A B S S
Q K E X V A T B L W O T Z U S Y W W Q E M R P A M
H B B E L V N F B C V T K J H K X S O T S M C G G
M Z J Z T M V L Z X L H S B E U N K U S R O T X W
R E G N I F H Z D L X C Z L M Z W I M U R N W C H
T F J U P X D J S O O F W E Q I S D L G J Y L W U
G N D Q B W G Q I R J I E P Q Y P E T A D S A K Z
M Y I R M U H K R U F J J H H N B B T R I T S I P
B T V K U F M I I Q G C R B N O U V J Z E X Q T T
M M P U Y V O E P B R V K R H C Q I T R S D C E L
P E N C I L L I U Q T B Z A V I Z P L M T E G G H
Z P Z Z L U B X L U S O K G U M B K I F P D I B L
J I J Y T O S C Y N O Q E W M S R H T S N V E H R
I B B C V E C G W U H E E I E W K L E M C N O Z C
S L Y I V W R N M L G T S E H A G R G K O B I W K
N P G V V K V M E V S N N W I N L K D R E J E N B
Q X X J R E F P B B P K V H N V B L H X O R L L P
R I N H E K Z H G F M A Q L V J X T H S L O U T V
```

COOK	FINGER	GHOST	HARMONY
HISTORY	IMPULSE	INK	LINE
MARBLE	NEST	PENCIL	QUILL
RESPECT	RULE	SILVER	STEW
SUGAR	TEACHING	TEETH	THRONE
VAN	VESSEL	WATER	WHEEL
WHIP			

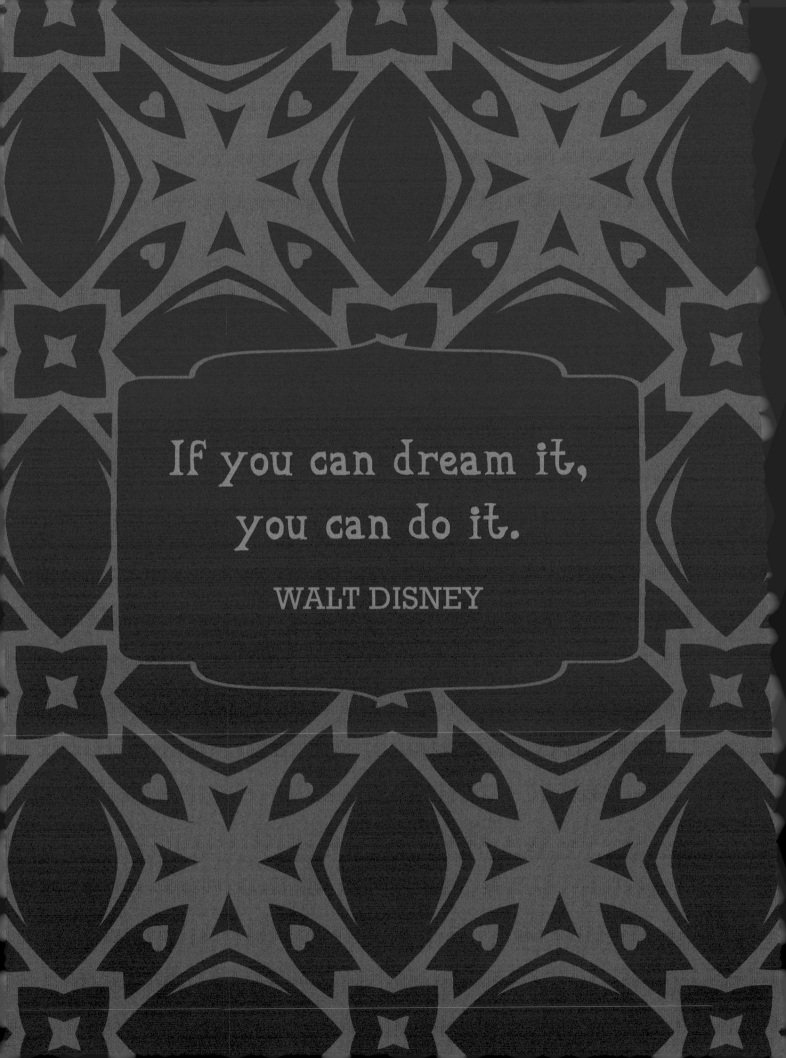

If you can dream it,
you can do it.

WALT DISNEY

```
Z T E R E T A W P M T L X T R S X D S T I Z L O Z
U W E R G B B E Y V J A H A A V K O P K G P U S W
H G Z K W D G T S C E D D M B O C L J F Z E S Y B
Q U S A D B I N L D Y Y O P A I R D I M E H C R A
S Q O S U R L N I D A B P Q E S G H N S U S N Y X
E B S H O X J L L H U U Y T K Y K J T D E S G F A
J V B H U A B Y V G T G Y R R H E M T O Z F D H F
S E T H W B N K M R O P W Q O J O Z L L W Q O Z B
T U F Y M U S A R Z V S N Z N W T P D X L K L Q B
A F P A K Y F A D W F X R W U E J P Q P I L V X
Q R J M I I Y Q P T O Z O A E F X F C Z M J H V I
F W T H M K Z R W E K C O V E R R R G S A B M H P
O O R T V H I L Y Y Q D N T I X L I U P R U X S P
B H E Y M C U T M Z K E I C U V S V P O T L A Y F
S Y F H E W R V O K B U C N Q V D F P O L E U B Q
Z F O R S A F M N M R F G I T G P T K N L W E Q K
L K M R P C H S A F Y E I Z P A W O B B Y M C U N
S M D R B T I L E N N A H C I Z O Q Q W O R H Q J
D P Q S S L S E P I L V I L W R P M Q K W Q V Z W
Y K A G H E N V N G N X K L P E R L G Q Y Y M V S
P Z I D P Z Q W P C J U E W F A N J L O R P A F R
C I H W E I E D C M E M J J C U E V C S Y G Y C B
H D W X K W T L V Z L K V F C O H P K O O B Y J I
G Z Q M D L Y V O X L Q J D C A T V T Y F V A R S
B E H A V I O R M V C E I S M F Y A Q A B L C N B
```

ARM	AUTHORITY	BEHAVIOR	BOOK
CHANNEL	COVER	DIME	DOLL
FRUIT	HILL	LADYBUG	MASK
PAIL	PARTY	PRICE	RHYTHM
SCIENCE	SOCIETY	SPADE	SPOON
THING	THROAT	TRAMP	WATER
ZINC			

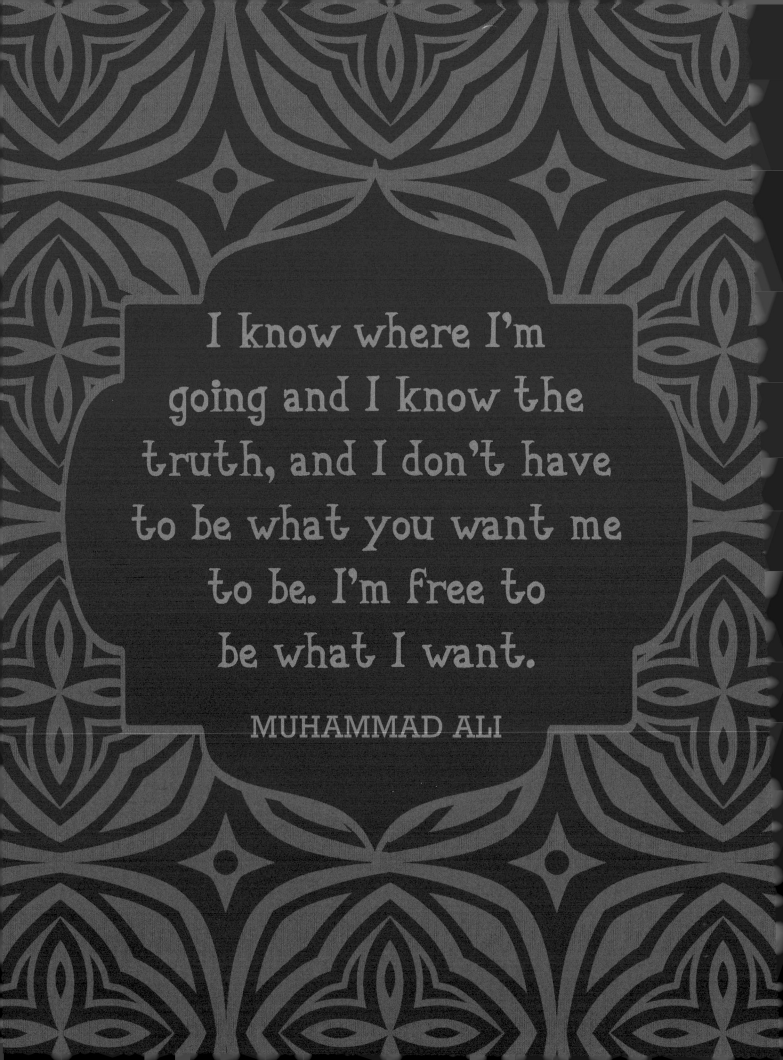

I know where I'm going and I know the truth, and I don't have to be what you want me to be. I'm free to be what I want.

MUHAMMAD ALI

```
E B L E C R O F S I O J T A L S K H H L K Q I A Y
D S I Y B S V Q M Y V C W V Q T R O O G Q O N D Z
I T C C J B U Z G R G R I H V E N A S L G G O V Q
S H Y H T I P S T E J M S T G E E T P J E Z J C H
Q P G U R A C K T C G A T O M X S K I R P E E O V
U U N R U S U E L N G I R O P S Y V T S D R Q K K
A F E R P J C O U W B F W T U N K A A Y G M S A L
C L U O X N B I D V O I O E R I A R L J E A N S Z
Y Q E I I C A C T U S O F O B A W N V J M E I E F
H K C U J E A S L L S N P M O R H M I R U P A V C
D B Q A Y W K G H T F Z H L E T I W K M B Q X K J
M S D Q H L M L F B V N S V I E Q Q E A A E E Z V
N Z T G W R J J O X Q S A G D X S U U E L L R E E
E C B K K J T A U O W O D G E T Q T V S F W R R G
G D G Y X E F C O B H D V C K J Q I X P A S A C Y
B D U R R A K T W N P C R F Z Q F S Q R E R J S N
P E Q C V W F L H V S L S U Z W O D H G N C M B D
H J R N A X L S O G R C M F L E S L Q N N P M G P
V N A U B T N E K C I H C W A U C A J T P P R A O
K K C I Y R I Q F F M N K N T S K M Y Y O U X R V
N Y F Z P V A O D O W L T O V Z X T M P U E B N L
I K G S R J I M N M W N G K R Q Q K L Z T X R M W
F W V B F O U K Z E O Q T U I Q Z U P I W I M K O
E Z T C E Y L N T E H U U W J A M B X K L I M T H
J A N E K D T T Z K Y J W C K X S H U G O K W S Z
```

ANGER	ANIMAL	ARM	BERRY
CACTUS	CHICKEN	COOK	EDUCATION
FORCE	HOSPITAL	JAM	JEANS
KNIFE	MASK	NIGHT	QUINCE
SCHOOL	SELF	SIDE	SQUIRREL
TOOTH	TRAINS	TWIST	VERSE
WOMEN			

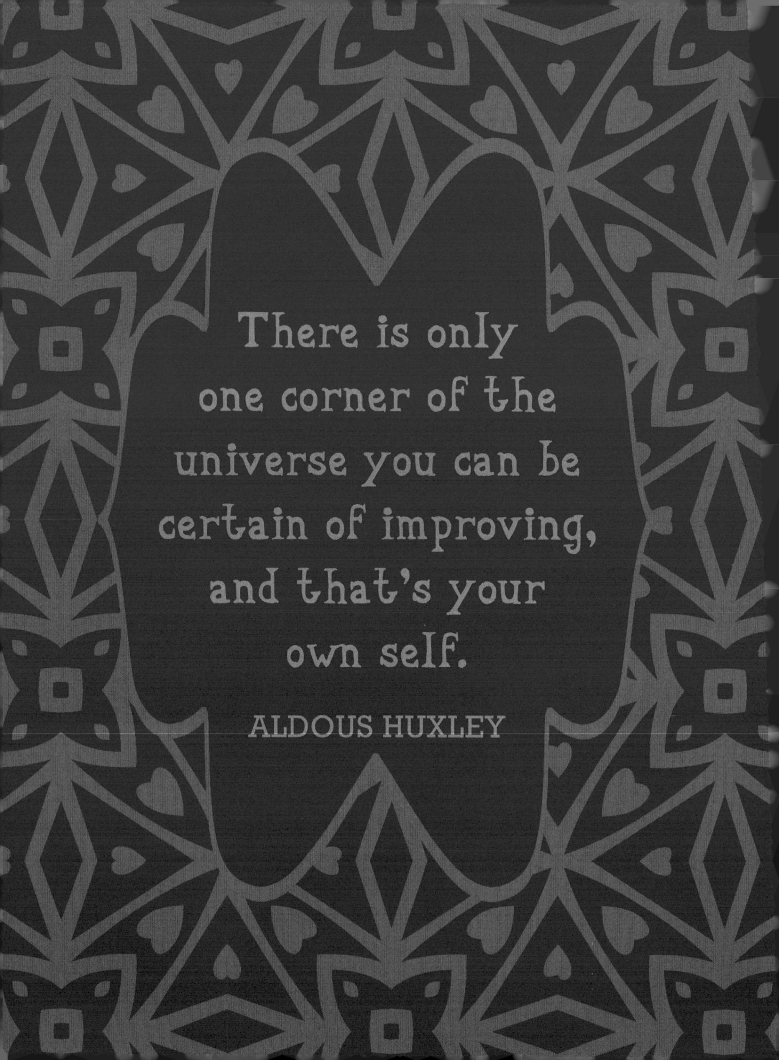

There is only
one corner of the
universe you can be
certain of improving,
and that's your
own self.

ALDOUS HUXLEY

```
N X W F M T G K L S P M V P G S T N G I M T A P Q
K Z C G P M O Y A K U T P Z P C K O N U O N X M O
D J R U M O Q A K Z K F P B D G U I T I B P Q U O
W C U Q B K M T U K F B H I F W V T N I H Y Y D C
O K E E V U O M I R W O D I V F U A D Y C D K B
H S T V N T U H H A O R Z F H M U B M X X W H A N
S O F U C P L V B R T T A V G O A I Z W T Q T Y L
N C O W S Q O B D A W A C U S D T R V U P H O J R
T Z N J N I W L R K U M X G P C V T B R I S N W Z
B H Y B T D J F I D N N B Z A I C S A N C X O F I
F I L D E A A N N P X Z J C N A T I G S R Q Y U H
Y A R C H W J V G C D Q R U R M H D Q D T H A P F
B Z I D V U V P K R H Z I C D P E S I O N C R T O
L R T W S O O Z O M A H H T P O S I T I O N C S I
T P R Y J I Y F Y Z J A D V P W E A L T H W U J P
F W D N Z I U T Z M N Y T X G J L Y R N Y D S D E
J F G J I C S M D N R E R O B A L A E G J Z M S Y
R R Q W X B E O E X S H E H W N X P U J N E Y Q C
V E P H I X N L S U O C S X E Q G L V I S S O U P
L G G T A Q S B D M P Y P A E S T G V M Q L C W N
B J N E K R E S T V O F E S E A G J Y N I A L A B
C P L E Y V M T M R A I C P O Y M I G Z Y B C H M
Q F Q M Q K R O T Z Z I T R X G H A I M A N Q M N
N K Q F O G M V N Q U A H X G J T B V U E U U K C
O Z V V P H X V Y Y N T Q R W E S P P Q V G T S A
```

BIRDS	CHANNEL	CHIN	COWS
CRAYON	DISTRIBUTION	GATE	HARMONY
HOT	LABORER	LADYBUG	NOISE
NOTEBOOK	POSITION	RESPECT	RICE
RING	SEA	SENSE	SHOW
SKIN	SUN	THING	THROAT
WEALTH			

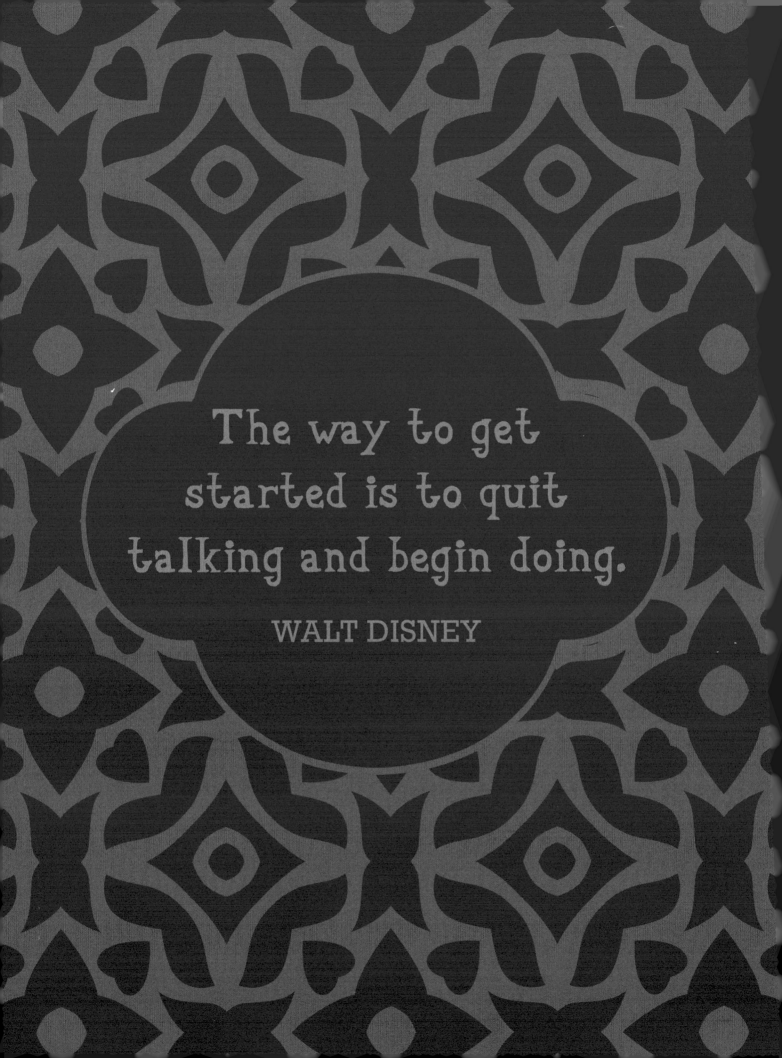

The way to get started is to quit talking and begin doing.

WALT DISNEY

```
T M I W O I L D N L D A B I M N F G S A N H B U Y
B Z O E Y O G F S Z E A Y R N F P E G Q F E A O A
C M L Q O L D J F T X M J O E I Q I C Y T H E S Q
M D L U Z S B E R I O F I Z C O I S F X M D T A B
A P O J Q J D O Y L O T B B A O C F P M D T F E W
S E V W G Q U G L F I N Q I E Q S D N A H C O X D
E V U R N B L U C T P I H C P Z H P K A Z H C Q A
V H G S L T R M E N O I T A T S L A O U H Y H T K
Z R L E C F O P N T Z B L R C A G P G S T Q I O F
D Y N R Y M M W T L M V A O N J W E O H L U N O H
U B E H H O H C N L A Y X E C V L F H R O E U I T
T K H H C V E I O V O M L H W O G C B N D S Y D M
I W U Q P F C O N D I T I O N V S H W R Z L T Y V
M G S F F E T Z I J M Z Y W H Z U I A T Y G Y N J
D C Y E E N R M L Y Y J W S W B O L D I Y K D B X
N J E L U I N T Z A E W B C W R B D Z E W I S O R
E I L G L E L P R C B P Q T G B M R Y E E N K Y H
E S O R T W G E O T J X Q U H G Q E H S G R O U P
R K E B Q G S C B O O P N K U W E N L C V W F A P
E B O E Y Y S R O R R G A V X M Y M C Y O P M I O
E G R Q G R E U Y Q C L Z M Y Z I X P H S M Q U D
R M E H O U I K F C H C Q S X Y I D S L L Y G P R
G E F O O O O S H C Z L A B U F K B L R F L E B N
E O T M M Z H V T N C G Z N G O D F X S L Z R M B
D T M J A X Z A T V Y D T C T F B V Z O K C N E F
```

ACTOR	BELIEF	CHILDREN	CHIN
COMPETITION	CONDITION	DEGREE	DOWNTOWN
DROP	EFFECT	GEESE	GHOST
GROUP	GUN	HANDS	KNEE
PEACE	PLANE	ROOT	SHOW
SIDE	SORT	STATION	TOE
TROUBLE			

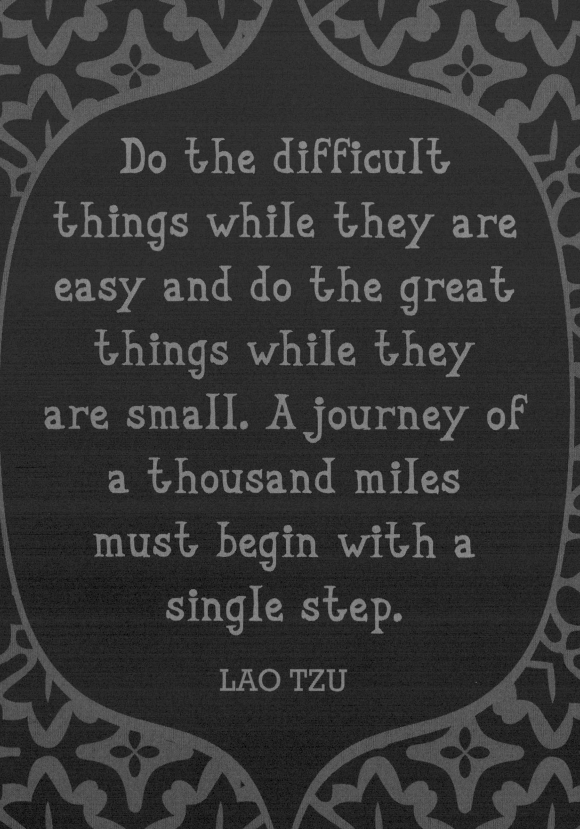

Do the difficult things while they are easy and do the great things while they are small. A journey of a thousand miles must begin with a single step.

LAO TZU

```
F E E N H L P T T E J T C G Z L R Y S H U D E Q V
C K I I R Z U N N N Y Y V K C E T D O N M S S P L
Y A U A I R B B Q L I K U Q Z E O J T W S T K V R
V C O E K U U Q F K L A I W I B O A L N G R S X P
W N Q E C I E L C I C I T C H H O W D K H U A N Z
W A Y W L P E A C R D S O R D B S X G D W C A H K
J P W D A L R C T N Z S B Q U V C T Q B F T J D O
S A I Z X C N F A S T B J F Q C X C P X A U M L P
S N P U R P O S E F N F B P H Y S G N W E R L M K
G M B N E E J L A U A A F U D J A P U E G E C F S
O H S B E U M J R Y L E D E F E M A S S Y Q Y M H
W O R T Q A I Y W G P G T W R C S J U X R E V U X
X Q D S D F X H G K U J A R U U E I J O Q Q S K I
C R Q J B D O S R L G W O X I Z X D G L T T M W A
A R G M T H F K S L R L Y U T Z B S V N L A I A X
N K O E R U S A E L P O B E X A G D R I B O P R R
T F Y O W M J P R U K M M O Y Y P F H C S C B H X
I P N A K G P A A E D R V Y R I I B L V S O F W O
H E V C W P I N K V G J G K L G L U W K Z J R I G
R N R T O K S F V F V H F A Q S A Z B S G R A A Z
U C Z E L A U G H E N O E Z N C C R C N U C R K D
B I C O V T G O I Y G L C R T W G Z P B X T K P M
U L K N F O H V Q E Z W T H A U B J E R T I E G O
V L K K I V C R T E U O T O Y P Q F J H Q Z W O Y
W U E B D S R C T V K T H A Y G P V O Q F A B E T
```

BIRD	BOAT	BUILDING	COAT
COVER	CRACK	CROOK	CURTAIN
DESIGN	EYE	EYES	FACE
FRUIT	ICICLE	LAUGH	MASS
PANCAKE	PENCIL	PLANT	PLEASURE
PURPOSE	SOCIETY	STRUCTURE	TURKEY
YOKE			

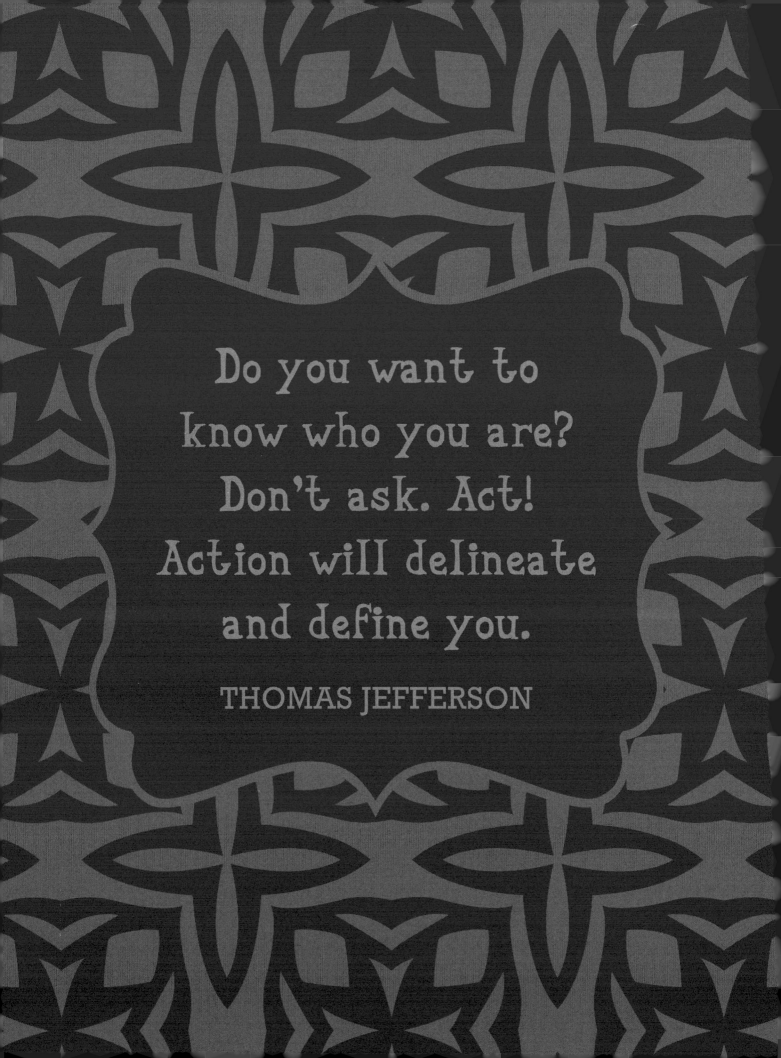

Do you want to
know who you are?
Don't ask. Act!
Action will delineate
and define you.

THOMAS JEFFERSON

```
K K S N J M M T V N B E X F Q H A Q I T F H S S V
P N E W B S L A V G O V C A W E F H S L O Y K D M
W R Y O E W J R X X Y I E A I M S I Q Z F I Y S E
M N E T Z L M H T Q Y D T U S I R K M A N R R U P
O P X N Z M R E V D L E H C H R P R M M D G S G O
U X J W K A D M D Y E W L T E C A D O S V D D K B
G X A O H A I R C U T O T R F N S H T A P R K U V
N Q F D R Z N O I S S U C S I D N O O R Y L F M O
P X E J Q O X F H E P U V Y L L E O B H U J T V T
Q R A P E U M X N M T L F Q O R E L C Y V Z M G J
J I T B C C X T B J X M S C Y T I E D T T X X N Z
B E V G B B X R Y Q V C M W B D E G V H L Z W L Z
D E M I X L E X Q U O E G N A H C X Z M F I Z O I
T P K U J V W N C B W O Z G D Y S V A N P K J A O
W S A S E D W S W L X D M N N X M S Q M X X S M O
P Q E I F X F E F Z E Y U C I G T A L I P L J A I
C G H V M G B R A K E C L J S I B X H R H L Y L M
Q C G M O E D T J I L R I M Y N X P P A I T E V I
A I B D T M U R E H N M F F V N J D D L K P A T C
D R E U A K A B T J F N J U B M T Z A M M O R G C
Y U O K V C A R O R K K K P G S M P R E H T N J A
W C U P P R T X C W F C W O N R N T P C R E A M W
B G B O O J G K U H E W O C S M M A M X F R G A U
C P I F F J C A U N F D J J M E R U Z K O P W C L
Z U O Y E F D R Z G V L K H O G K M D Q H U R U U
```

ACHIEVER	ACT	ARCH	CHANGE
COBWEB	CONNECTION	COW	CREAM
CRIME	DISCUSSION	DOWNTOWN	EXAMPLE
EYES	GIRLS	GRAPE	HAIRCUT
MASK	NECK	POT	RAKE
RHYTHM	SKIN	SODA	TOE
WISH			

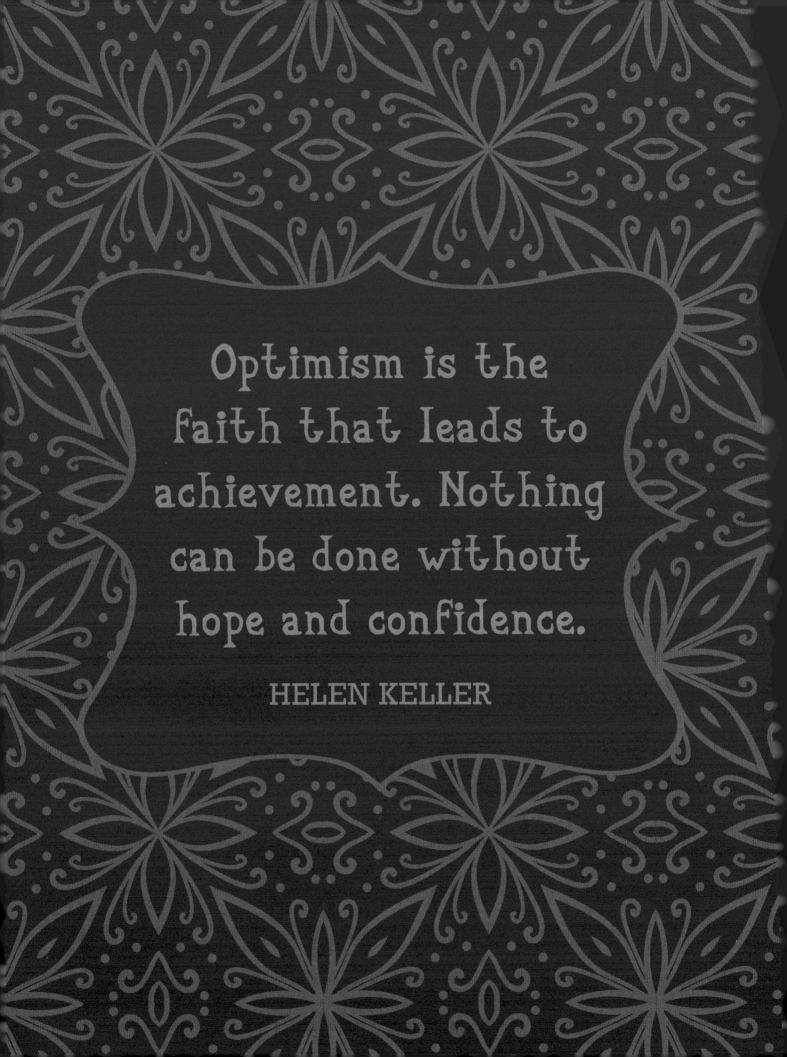

Optimism is the faith that leads to achievement. Nothing can be done without hope and confidence.

HELEN KELLER

E M A V E Y W A Q U F R F Q U Q S O A X Q V P B O
N I A T R U C Z S R O B R D P U A M T O E D Z P W
Q A F F J T L L I O P E U L G M N W P C H Q Y P R
C T O S N O R E J X T Y I J W H D Y D F K C E Q P
J X B U Q I N A H N K E T A J A R G S R C M Y R G
U B Q L G D U A E Z Y K S Z D E X D H B Z Q T W E
K W Q L S P Z P P C M N W J W N F Z J Z U L X Y J
R L R A H W R M L L C O I O P Q A N L D O Z C E J
T I G B M A I X P D O M L L Y R R G J E C M D M N
H W H Y C N K I E B I F N D I K C I H B R E C X T
M E C E D D O G C Z O E S K C P Q D G B M D F U Q
T F H L J X D Y H I S O C E P D B U Q O G C H D N
P Y Y L V Q H Q R Q G F K Z X E I N Q D J U X L F
G R R O W A S T E C L A B H L I A R N C R K T N Q
H T U V B A S E B A L L M L M T N K H O A M Z C B
W E Y Q B Z N G M F Q E I Q B P N F Y F I F W E D
S Q M L U H T E V V Z M S D J L V V S G L H E Y M
X G O D A V I F U A N A N H Q L K T N H W P S E N
W Q F B I B C E F E C H X C E K U A V R A L G U C
J Y V J U C O H N Y A S P S D E L U Z A Y A T B C
U C D D W C B R D S O N G E S W T C L E R W L O C
N E O T U Q N D E Z G N C F Q X W Y P B K M S P E
G L Q Y U Q Q H B R B V A N Z P X T H G I N U C Y
V E T V Z N F X Q G H I N V F A P R G S G R R H F
A D Q G T P O S G W P H O Y N L R Z O V C K O U Y

BASEBALL	BOOK	CARPENTER	CURTAIN
CUSHION	EAR	FLAME	FLOWER
FRIENDS	FRUIT	GIRLS	LABORER
MAGIC	MIND	MONKEY	NIGHT
RAIL	RAILWAY	SAND	SHAME
SHEET	SONG	VAN	VOLLEYBALL
WASTE			

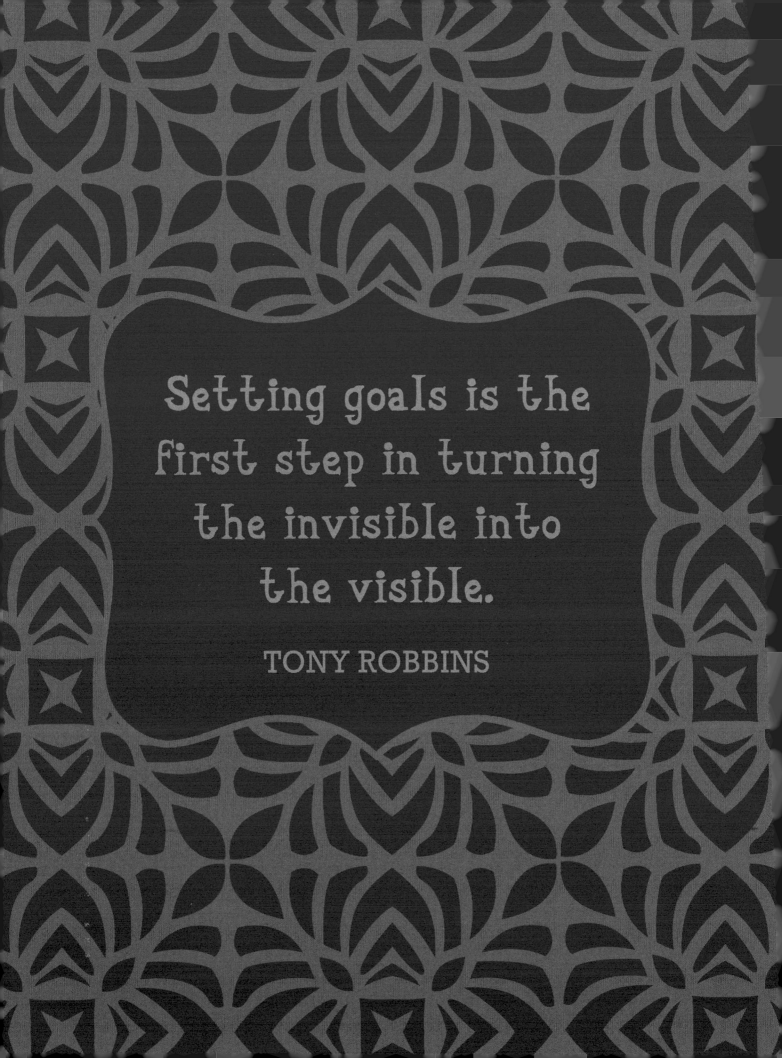

Setting goals is the
first step in turning
the invisible into
the visible.

TONY ROBBINS

```
P I E S B F V N Y E S B Z H P S I U R A C R A E F
L A I R F J N K H C Q I I Q R N H K I O E S C L F
N P P F G L H T E N M T C X J A E W M G C N L L V
E Q V T T H T E A A X X C O M Z K P R R A E T I D
G R A Z I M A A D L R T H D W J A E Z H Y T L D T
N O M V N Z X P N A K P S S J R T F C I M S J U O
C I I M U Y X Y H B J J M X I Q F Z K N X A M O J
R N V Q U M E G D D E J T S W U G L U B J W M W P
T N I O B M D L R A R L O F A B Z Q L Z W A V E S
H S L Q Q W R F L E S N H W R W U V V O J F J T L
Z Y B O O O I R Z M I O V S S D N A H S T O O R L
M T N C M O S Z R C K F J Y H M C Q X P Z W O L I
M H Y X O L G O Q B P K B D I M H T L V R L B M D
C J N E O O R J J Y J G B J O F O Q K G X O K V H
K L I R R G L W R Q U Q E R H E C W Y T U D S Q P
R I U I O G N R I S L A N D E K Z E N O I W J E J
E U L A Y C E M O G N F O A F G Q Y E G Z R Y H C
R Z F F A B P I G J W Y H W D M I L F J C Z C T K
C U R R L U Z O H F T M Q Z F W U T I J I B Y V I
G Z H B L M T B P E I K R V J P I S K A C R F L R
V O A Z J Y W N T H D F A W Q J X E C F R E Z B Y
K L H S I J I G H D M P Z W X S V I X L A A J Q N
L O Q J X X U J U G G U G N I K C O T S E T K V C
M S E S A F R Q H M M D Z Z Q C E P H U L H C I J
W J E I S Z Z D Z J T L J P D F N B D G M Z E C K
```

BALANCE	BALL	BERRY	BREATH
CHANCE	COAT	COMPARISON	COW
FOWL	HANDS	ISLAND	MUSCLE
PIES	POPCORN	PROSE	RAIL
REGRET	ROOM	SELF	STOCKING
TIGER	TOE	WAR	WASTE
WAVES			

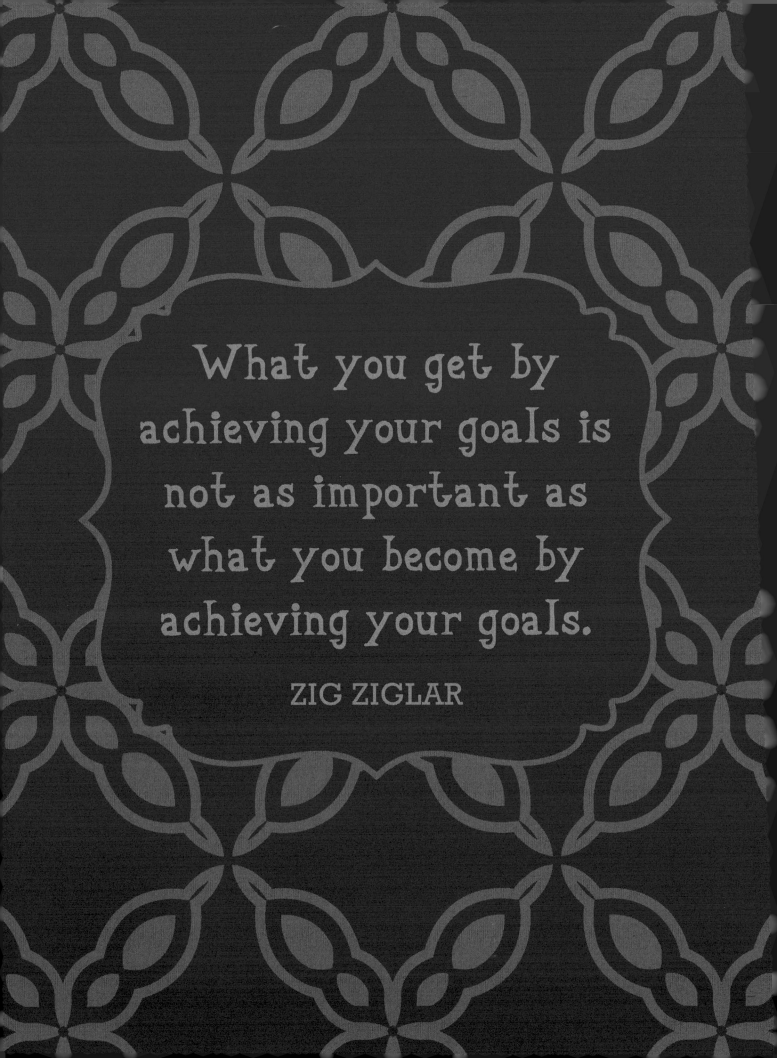

What you get by achieving your goals is not as important as what you become by achieving your goals.

ZIG ZIGLAR

```
P I P Y M C A T E A N Q L T Z S H M P P T Q F D C
T K B Z L U C U Q I X Y O U H T N B U H Q O D T P
Z D C X I E Z I S Q S O U N D I B N I I J A O R L
O W F Y D I Q J Q K Q T U L M Y I M A F N L C B V
J D V D X J V F H M B E X O H S H I E W L N W K P
G O X L L U T C Q X L B W B H P Y M V U C E Q B L
A S C W Y X F P P S V Y I M K I B L V P N G E D X
B Q O G E B L L V P R R E S K Z Q H M R I C A L Q
W F M U T K J R M M V N N O N S D Q H N U O Z S F
F L K E F E G R E H T A E L F I T N A J T A L Q T
R L C C E X R K G U J J S S T Y S O Z Y E S E L R
C F A Q G H A Y L L E J L Y Q Q T F R C R W X S P
G T T L O P S R T U T P A G U H E S A E E L T Q M
E X T W O A S U Q I M P Y P K Y P R W D H C D D A
T G A I V E P B F Z Q V A Q Y O E F D N H E A T C
R I N C Q N H B Y F S R Q I F M C E A L A U O W Z
N Q X O A H I L L S H S D O F O N H P V V I Z P G
D M H N P R J W A D B P X G L T Y U B C T A M M R
G Z U X M S D L T E R O R O G B U A I Z B O Y L V
D S X B U B G C X J F Z R J X D C O P H A U F X G
H O G R R F Q A A A S M A X X U E G Q O K F V D K
T Y R N T I E B R U L R K C H E S Z F C N U K Y X
C N J O O S Z Y G L A H S C T R R S Q A C F X I H
R W U P B S T P Q T Q D G R W T E Z Z M N C P Z G
H G P A S E W I E F U N U U U P V U N X X J S U Y
```

ACT	ATTACK	AUNT	CAMP
CARD	CARE	COLOR	FOWL
GLASS	GRASS	HEAT	HILL
JELLY	LEATHER	PUNISHMENT	RAT
RUB	SIZE	SONGS	SOUND
SPONGE	STEP	STORE	TOAD
VERSE			

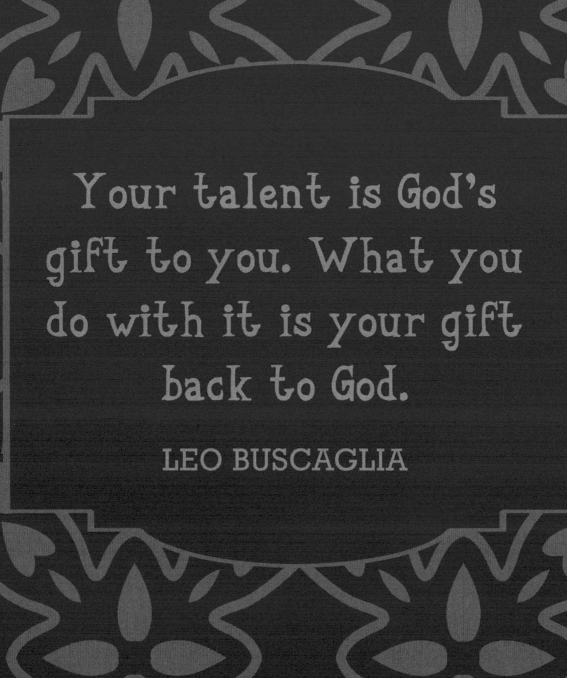

Your talent is God's gift to you. What you do with it is your gift back to God.

LEO BUSCAGLIA

```
E C A K S B F C N T P M M O Y P I O K J Z B Y Y B
W S D P A I R I N J N E M P G W D D E H Y N P L G
T P O Q I A H E R R O B T J Y Y E N G K Y G I U O
J O L O C C M N C M R Y Y S A J Q C G C R D N O L
N G R K J H T B P X I P I L L Z H T N L N M Z Q Q
F I N U S V R F P D J Y K V T L B R O J S Q Y Y V
E P T I H A L G W H B O U N D A R Y G W N G O X B
C G N W H J Z R M G M L Z Q T K U E I I Q I E E C
C U D L B U L C T P A F B Z A Y F W L E E H W L Y
P H H A X V T C F F T W O U N D A Z S O M J C F M
Y C A H B H M M H R C C Z W L E R Q T P K G F L H
K K D N T U L C I S B U Y C U M M K D L E O J A Z
R K V R N B K K C S W T P J J A Z D T B A I T D T
P C I Z Y E S C Q N G V U H N Q E H J T X W H D I
B P T U O D L Q H V E Z V S K Z G R D B M Z N K F
Q E S S Y F C A T R H I Q S L L O D T A P U U V M
H F B K U V X C K H Y A Q V X M S M L P I B P T I
X Z H U E G L P R I L L D Y D C G N T P C K F W S
H W Y S G F O D A F V C V F Q M R A S Y E W D B H
C V M N D M Q L M R R P E P U H Q G X H Y O M F A
K A Z K U Z Q D D B T C V F I U D C N B U S A R K
X Y C I J P H C P I I Y M O H E I Y R O T J A E E
A E J A T I G R F Y O K J U M T H B N F O V Z V P
F R O O I O I H E C U R S Q D C L X C C C H P P
U V B D P F Y W O E O I E J D R O P W P R U R A E
```

BADGE	BAIT	BOUNDARY	CHANNEL
CHIN	CLUB	CRACK	DOLLS
EGGNOG	FARM	GOLD	ICE
IRON	JUDGE	LEGS	PARTY
PIG	PUNISHMENT	SHAKE	SKIRT
SPOON	STEP	TRIP	WHEEL
WOUND			

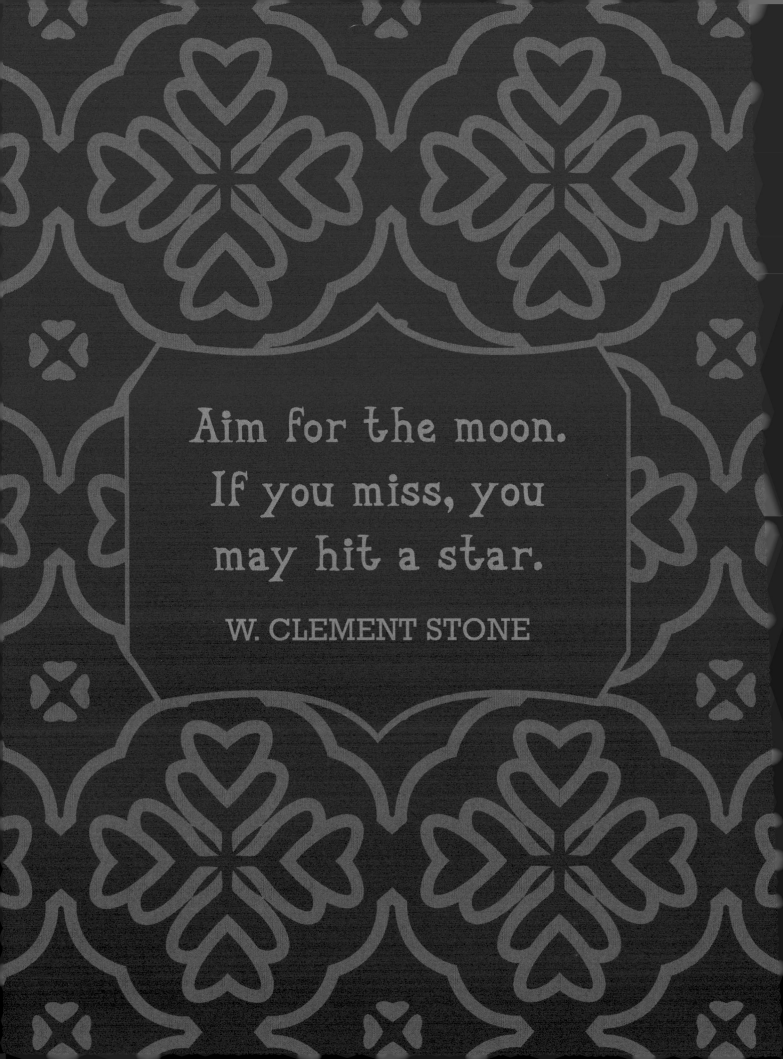

Aim for the moon.
If you miss, you
may hit a star.

W. CLEMENT STONE

```
F A T X Q K Z N E T E I W V C T M B I D Y C F B S
T E Y C D P O F I V X G Z N O V T F Z O O A E D K
N I E W M Q T N B H T X U Q A H P Y P J Y R Q Z O
C J E B L O T D T R S N M F L R S P P R N E F C O
U A H T O O F K G O X A X N C F R X N F E B L N B
F D T J T T M H O S I P M E T C O F Z H O R H N W
Z X F I K S G G E D U J T R J Q I W L S O W M R X
S U H I N C M Y L O Q B Q V I A F N Z V Y D X V U
K U F X N M H G U Z S E H E D F K Z N A M E L H U
B K U N S G Z Y R W W A J V E L L W K H L X H V E
V K W H E L A C S N I E O E J C O T O A V B F B P
A M Y A B A D U I Q B S R D V S V F E B I X Q Y V
B F E K A R R S Z N B V H G V A M U X B L Y C I E
Q E A K A A A U W A A T M Y E P H T N N V E L O J
N V J C G B F N B Y C Z K J S D R Z U Y A R Z B W
W G V D U R O J L G R I R W L A D Y B U G Y O C O
D J V B C I T H U K N O A Z W K Y Q Q V L B C R O
H Z M Z S M E R A Y K D T R G R V S L Z U Y X Z Q
D O T I I I N M O X P Q K I X N D T D E M B C H J
D D V M X G A R M U P K S V R T L O N R I G C M V
A I C Q U D L B B Q B W N K T R O P R H P O V W R
D W Z L X E P E X V I L Y O X H E W L V O Y Y K L
V L R M O U R E T N U A E P P U H T N K E C W L U
R J O W G P I M G T D O V V N W Y Y A O F H T Q M
B D R A W Q A K N I F E L E F F D F C F S C X O J
```

AIRPLANE	AUNT	BASIN	BEE
BOOKS	CARD	COAL	COOK
DIVISION	ELBOW	FOLD	FOOT
KNIFE	LADYBUG	MAID	NAME
NERVE	RULE	SCALE	STOP
SWING	TERRITORY	TOWN	TROUBLE
WISH			

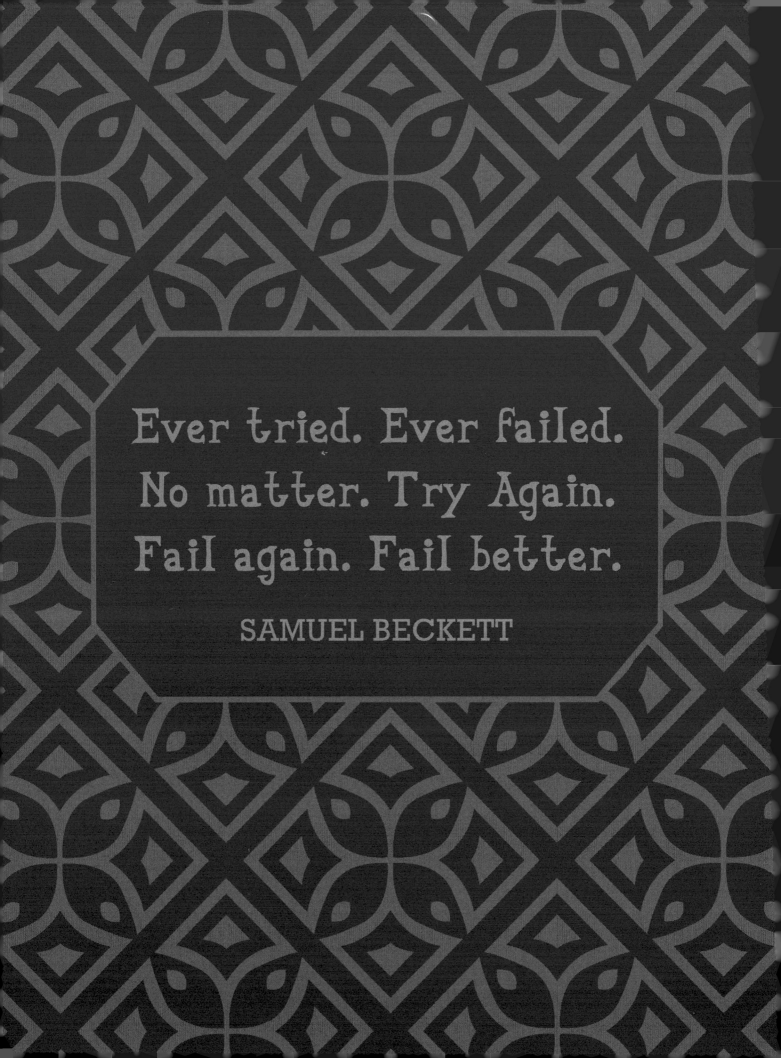

Ever tried. Ever failed.
No matter. Try Again.
Fail again. Fail better.

SAMUEL BECKETT

```
O E G L Y B R Y D I T M V A W L S C T Y S O E M V
F E D I H S E L F C K N T A C G Q M L F H F T D A
Z T Y I J V I V A C D B U C T O P G O C T J R H C
A C T J Y J X F O W I F L W M P U A I Q O O F R A
W A U L V L I Q B F P I Y F Y K I S J W E R E U T
A L M R N O P C C I T K B Z Q R C U T R S A M C I
T U A M Y U R X Y C A L C U L A T O R I C M U F O
E F Z J M Q L E M O D W B J K N I L Y T C T K I N
R E J R G I I T P D B E M R N F C U I Y B S O J H
Y K Z P B G S L I F D V L W E J I O I F S L Q L O
T Q U R A F K I P S Y F H Y R I N H Q P P I J D F
W E I G H T X O S F T H O Y W B G K I K W Z Q J K
D C R X R T W T G E P Q Y R T Z K V W G G T V L V
V O O V D E X W I X V C S V H J Z B S Z R O R U J
B O Y I R X Z N Y D Y R A C P W H E C R K L U N K
J M G Z I T C N S V E R U N Z G E R W I O X A K S
N G W H C V M O D H Q R T C T B X U G D P S Y C Q
B T K A E V C G Y N D C C W W S L N N O T E R D D
J P Z W R M J U U O E X E U L Z B J L A Z P X I E
R Y X W U J M T O F Z N B Z L R Z L B O O F L Q A
V T K X A Y X L F K D O N G K D E T H K V O D D F
A R E B M U N E H H G N X A J J R C G X A A U Y J
B T J L O F F D X K I N G O Y J B G O M H F L J J
D R Z C I N Z U O O Y A A S O P I G X R W U K F B
G F P T T O Z M W M Z C I Y M K Y U F O D K C O R
```

ACOUSTICS	ACT	ANTS	BEDS
BEE	BOY	CALCULATOR	CANNON
CREDIT	CURVE	EFFECT	FACT
FLESH	NOTE	NUMBER	OIL
POWER	REACTION	RECORD	ROCK
TOES	VACATION	WATER	WEIGHT
WREN			

I'd rather attempt to do something great and fail than to attempt to do nothing and succeed.

ROBERT H. SCHULLER

```
H G A J E N P R V M T K Z T R T T C G S G C L Z H
C Z E A L O R B E X R A Z H E S V D E I R O I J M
T S S H O C K L G Q U V E M H Z I L S Y O W P J M
N O T E B R D E E O W L P S T N F L L P U S F B W
H M P V A V I U T J K E C R O R T L V E N T S A C
D I N N E R B F A J R O E N R E U A E E D N R Q D
C V Z U F E T G B X I L G H B P I U T M R Z T F T
U K D K T T P R L B I V V D T Z X J U Y A E P H V
J N C U M I M P E G N A D Q S B O A U D L L G V I
N R X G N P L V I M N K C I J D E K L D R T F G F
Y E H T W G G O R Z J Z N P G A E G P K J F Q Y Y
C A M H R W N G S G Z W M I P P L C N K Q Z U C J
O Z D A N U O T A K P I Q E T A K S S L N Y M F H
R E U I X D I U Q B L F K O Q V G H K E G D P R X
Y A Y R L B P W F R K S E T I J A E A S U H S W Q
I C N P E O Y B K R N O I T I S O P E T Q J L Y U
J N P K I H H B E H P W B A M E H I Y A E B P N B
X P A M T G H G E L A Y P G Q B R T S S N K U X I
H H N W E V X S N A D Z O Y G I D I M J S U O W D
S Z Y B U W T A K T N L F A A J H X I F L L C F S
E O Y H H X O F Y E I Z U F H J D S H D R Q F S C
H R B W R Y I R H M Z L V X A U S U X Q T H Z D G
X W N L R V W V K N P E E V C V H Q O Z K R C M V
Y E Z K G O G T H M P L U Z A R C P Y S P F U H Z
G K M G Z A Q F F E T G F F U D V R S L U J F U N
```

BROTHER	CAST	COWS	DINNER
FAIRIES	FLAME	FUEL	GROUND
HATE	HOLIDAY	LIP	METAL
NOTE	POSITION	PULL	RELIGION
SEAT	SELF	SHAKE	SHOCK
SILVER	SKATE	TEMPER	VEGETABLE
WORK			

Be kind whenever possible. It is always possible.

DALAI LAMA

```
L M E K Q N N B V T T Q A E C R K T L H E S Q W V
A A B O Y F L V H B L Q U R N N J S Z O A I M P E
P F E B T H T F U T Y K I I H B A U E R R D R K A
O T O M L O O H C S W X D K L Z P E E S T E E P R
K O K S T V V A C S M O P H T L U S O E H W B W W
A B P W Q A L A N X R M V C A A Y Y T S M A T R D
S C I P L U O F O X L C O M P J S E J A D L T H D
E N O P O F U V E S I L E R F W R N K W G K Q A U
G F W K Q F O J V M N M Q T U V R W C R C N M X Z
Z X N T D K K E A X S X V Y M B A N O V U V T Y M
R H K C F Y X B P Q Y N A P M O C T I X E T M F H
F P D V A C R D W F K D J J L I J T L Q K C Z T T
A I T G H H O V G X E V A L R I V B P B A O M X V
J R A A M R L I H P D K O D L B S D Y Y C P N E M
M T N A P P A R E L A D P Z B X B M F T N U H A P
R G U S V M H N U R V X G S H I U W N K A H T I M
E A L B V M C C B R Z T Y Q X N G K A M P E L R G
H B N I I I J E H K K E T P B R Z G J A L G A P J
L G E F L Q Z K I I C X Z R L F N Y Z B U L E E M
W Q T D M R A F Q B L K T X N P R V U B D Y H R Q
J K Z B R H G T X L X D R T K S O O Q L Y F S H J
K H M M C O X O T C X V R H Q C R E M L T I K D P
Z R P Q V O O V N C J U Q E X T X Y P I N I M H O
C A K E S I A M E P M K Z O N O J N Y T Z R S T D
T Z U Q N C L E A W T S F C W G E J O S L C I X K
```

APPAREL	BEDROOM	CAKES	CHILDREN
COMPANY	DAD	DOLL	EARTH
EXCHANGE	FARM	HEALTH	HORSES
OATMEAL	PANCAKE	PENCIL	PIN
QUILL	SCHOOL	SIDEWALK	SOFA
TRIP	TROUBLE	TURKEY	WING
ZEBRA			

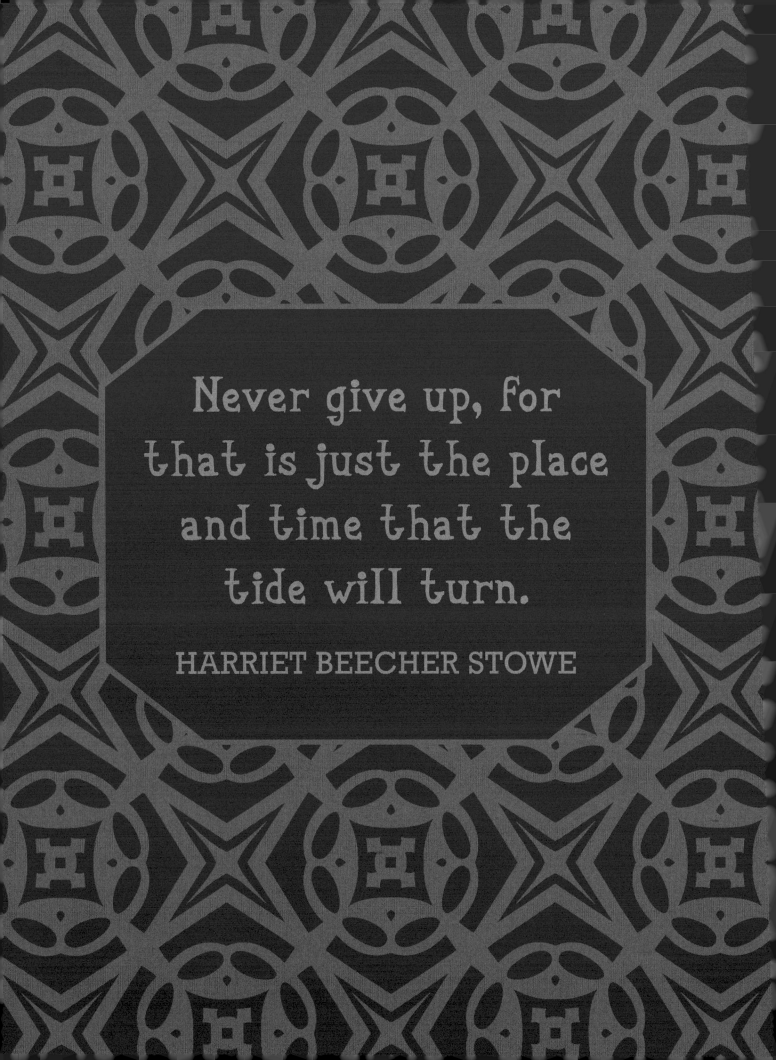

Never give up, for that is just the place and time that the tide will turn.

HARRIET BEECHER STOWE

```
T F O I N S U T B U F R W L H R J R R C F F M M Y
F X Y B E O O W Y F X M K I K Y A H E A V M Z N R
R S R A S M F S Y B A B T F N Y B I B V T C Y Z E
O Y T T A E T K Q E U L N S R N Z G N O I I M M P
S V T T K A R P J S Z W U C F E B G F D S R U U P
E C O A C Q O V O R W Q H T X W X J C K X Q M G O
S E D A J N N G A G N I W S F L K R Y T J M P S C
S S X U I P C X F T Q C V W P T R E K K J F H A F
T R D S J Z L U X T I R Y W Y E P W G M Y X Z X D
E G Z M W R P C S Q H O R N Z Y G H C X U R D F X
E N L E C Y L O N E M A N G L D J W D T M Q T L E
P Z O L N N J M E V E T S T E M S I B G X D X Y Y
Z M A L I F Q M Z H X H M D V I F T Y O X B L F M
G W O M J N X I Q P G U E R D W W L Y R W M P O G
M O S F Z J Y T V K G V N V V D F Y E A F Z U E F
B A D B W I D T G X Q C A X K Y H I J S N D I D F
N F P S O U E E K J R S M J H A T I F B H F I H N
W L U S Q P F E C R V K O R K Z U R H B J T B C Q
C I T S A L P W X C C G W R A K O D N O Q N S F C
J X L D D A G J N A T K E S X I U E X K N H T O G
X Z Y Y E B C V T E X X X N P T N J M H T H B W J
R M D E P V X T Q Y G V D P S Q I H P E N V B F Q
J Y G S Q T A C P E C O R H F B U Z V C D T N G C
B K Q G B I R D S X X D Z E C W D Z D Q H N Z Z X
C H F A J Q X C W Z K B U K Y M Y Z K K A C E C G
```

ATTACK	BABY	BIRDS	CATS
COMMITTEE	COPPER	EAR	EYE
FLESH	FOLD	GUITAR	JUDGE
OBSERVATION	PEN	PLASTIC	RAIN
RIVER	ROSE	SEAT	SMELL
STEM	SWING	TOMATOES	USE
WOMAN			

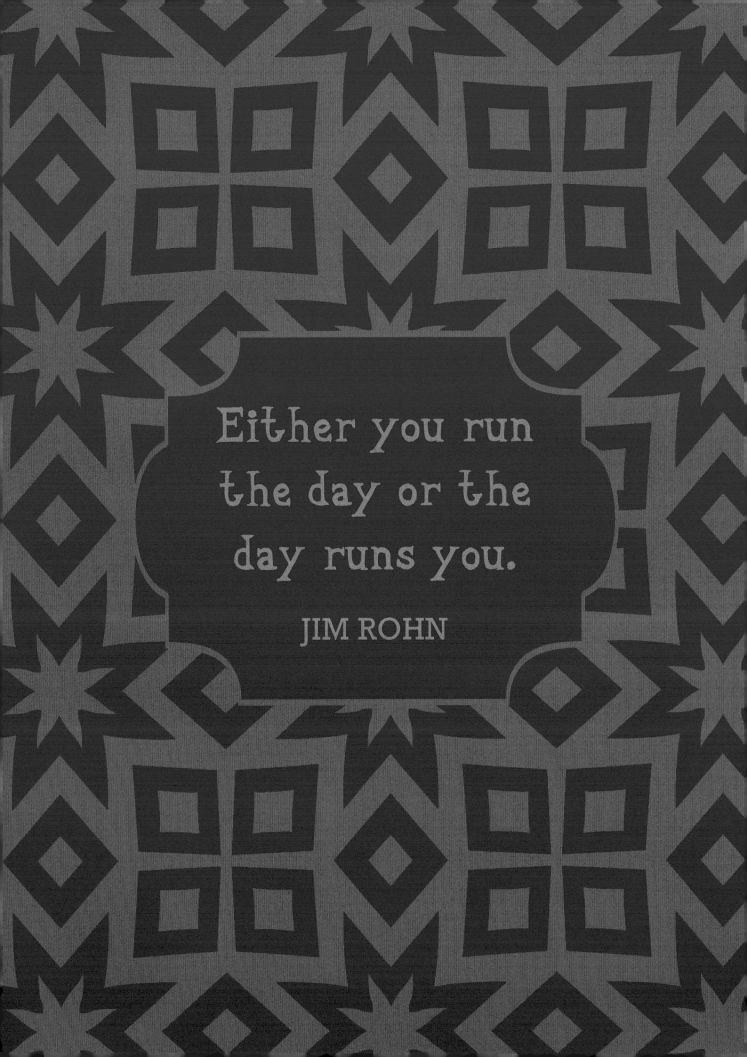

Either you run
the day or the
day runs you.

JIM ROHN

```
V D G Q P Q B V S I S L G E M B C L X I X E I J F
H Y R U Z P S T C L A Y U E T D U I V U P R W R U
M M X E L N R E Q Y B W C I Y I Z N J C A D O Q F
C A Z K S U B O V C D A A S W H B L Y W C G D B A
T B Z G C S H Y W A E P I I G C L P S E S U Y V Q
K N F T G K C R Q P W P Q U Z X B T P Y Y O V G Z
N Z U S Y C T F H C J L N G Z O P W G I T N I U O
S R H S U N O V C E A I B H D O R J Z F Z G W E N
E O N D N M O W Y Q P A N P L I I E E A T U F S J
K E T T L E M Y A N A N J R T Y Z C A Q B S W F C
E Q M S L V R E C O Y C N E P I R G V I E J R R V
U Q K G V A T E R L F E R Y M H S R E G F B Z L D
Z B N R R G N F U E L O E G E O Y J E F K B Z J P
V I W B K S O F Z L S F D Q N U J R U G J Q G S O
W O I J F U R Y D H R B T X U S E G N A H C G X M
T L A W I R F L A T I P S O H E N F K L F D S M L
O N P U X A N N U C Q H T R T S X I Y H O A B L W
C G E C O N J A P L I V F Z A A T E S Z W M O T Y
J B Y R M G Q M L G J W R C N U A A Z H F R Q S X
T A B A R E N E R N L T M E R R O R Q S P N G W H
D J W Q L U U R Z G U I S I X A C Q R V V U T J J
D F S A H T C I L G Q M F O S R W R H P S W Y J L
Q U O B T W B F M V T F P Y M D Z S P C M I Q P M
F S H S P L L J O C I I A Y G P N X L D P L O Z B
S C F V B K V T J O F A X K I C J D X K P L D J V
```

APPLIANCE	BITE	CHANGE	COAT
COW	CURRENT	DRESS	ERROR
FIREMAN	FROGS	FRONT	FUEL
GRIP	HOSPITAL	HOUSES	KETTLE
LIBRARY	MEN	PEACE	RANGE
STRUCTURE	SUMMER	WAVES	WING
WRITER			

Go for it now.
The future is
promised to no one.

WAYNE DYER

```
F G N U Q O P O Y N N Q T J M B T Z I B O S R K M
K K S U M U C Z R R P H J A F I K O W B T O E O W
A U E N G I E V X X R I H K Z Q F M N A B W C X L
C E R V N I R R A O X L S E T B N K T U A J O P X
N S J N N F I B N T A O R H T H Z I C X F J R N E
V M N L S A S E K O J L H M X D O R F I M K D G V
X P G X K Y E X G T Z Z S M T N Y G R A K B N N V
T H R E O O D I E U L A D Z W H G E W U H R U S N
C H G F L Q N G V O M N D X V P Z M X X P C U I G
R Z N U A G E W U V T S C X Q B N N J R O B W Y W
G M T O B O G Y S I X C B J U O U C Z E F Y I U Y
A O E F A M J D Z V T K E T T L E S Y L Q N F X R
J R A X R R E O F F L A I S G V D W E N I D Q R F
I Z M O E B F K Y N C A R A P G N R H K C O L O R
J W W P J O N R V T J D R Y J B Q T E A A S C B V
F V M R H P W L R N F U I K N V Y N K W Z N E R K
D E K O V L B Y Q H B V Z R V M H J T D F O S A L
T L C H O H X A L U Z Z E B E C V H R N L Z M H A
S L K I T F L J L V D B G S N O Y N L Z X C R Q U
H U M G T A E Z O Z X E F U R V N A Y I M Y U B G
Q P R J M S S C C W S H L J C J T W T T S U D X H
Q U N G W P A H A K Y A B O Y C E C U T T E L E L
F R X P Y E N L I S Z I Q B G A W F P Q R F W O A
X V T B E D L Z P R N C S S H N C U E Y J Q Z P G
R G D Y T O S V M O T Q W N J J I M T X Z Q Y L G
```

ARM	BED	BEDS	CAN
COLOR	DESIRE	DUST	GUITAR
HARBOR	KETTLE	KICK	LAUGH
LETTUCE	LUNCH	PLASTIC	PULL
QUEEN	RECORD	RUB	SHIRT
SNAKES	STATION	TEMPER	THROAT
THRONE			

Beginning today, treat everyone you meet as if they were going to be dead by midnight. Extend to them all the care, kindness and understanding you can muster, and do it with no thought of any reward. Your life will never be the same again.

OGMANDINO

```
D X L T A M W Z K R J L K S M K U F H N X P H F H
J I G T M R L K K C S H E E T K F R F O P H G B N
P I S D N A D P Y A N Z O K E J N I D L W C R H Y
F R M C B L G S J T P U C J D L K A V U G P O G G
X F X M O A F G T T E H G F U W T K J Z B T Q G D
Z Y S V B V N L N L A T P D H Q P J C Y W F Z M X
C U B R A I E R O E C F K I Z V G Z Q C V C D B X
N B I B T M Z R E W E I Y Q R E Z T X V R I X K S
N C R E A T O R Y M E K K J S R W Q V A N C J W N
K O E G R Y Z E M B M R J U B O Y S V O O K G I C
Y M H C H F T G F C J A S I B R B W S Z P X M Q E
O R W L E C N A L O L L H L Z I L A R Q T M C D B
K C O R B C F O E Y L Y E U Z G U R E P P I Z X A
I J L E R Y Y A I S M B M D I R C V X U U Y J F G
K O C N H A I A I T P C Q A S H T P Q M U Y G B T
F I O Q P Y L X Q Y I M X M A P I T N M X X W D C
G P M L W I J U Y V X D J A L P Q U F U F L L T O
T A L N O I T N E V N I D S E Y L Y V N A S G C W
Q S D F L S S K I W N K N A T H B Y C V Z M R S N
O S B Q F Y E Z C F A E W T S U V Y B O J B W E X
N E H U L W I S E J E T A O Z F W G S E C P O B M
N N U P E Q B H X Z H M E E Z Z X Y Z X J J U Y C
C G X W X B B J E Z M C F R R R U A R A V C P W M
N E I W F K O Q E U N C U O W K X W B V K U A I X
O R K Q Z K H S B O F X B E A A N V D K J N I C N
```

ADDITION	ALARM	CATTLE	CREATOR
CUB	DINOSAURS	DISCOVERY	ELBOW
FLOWERS	HAMMER	HOBBIES	INVENTION
MEETING	PASSENGER	PEACE	PIPE
ROCK	SEAT	SHEET	SNEEZE
USE	WATER	WAY	ZIPPER

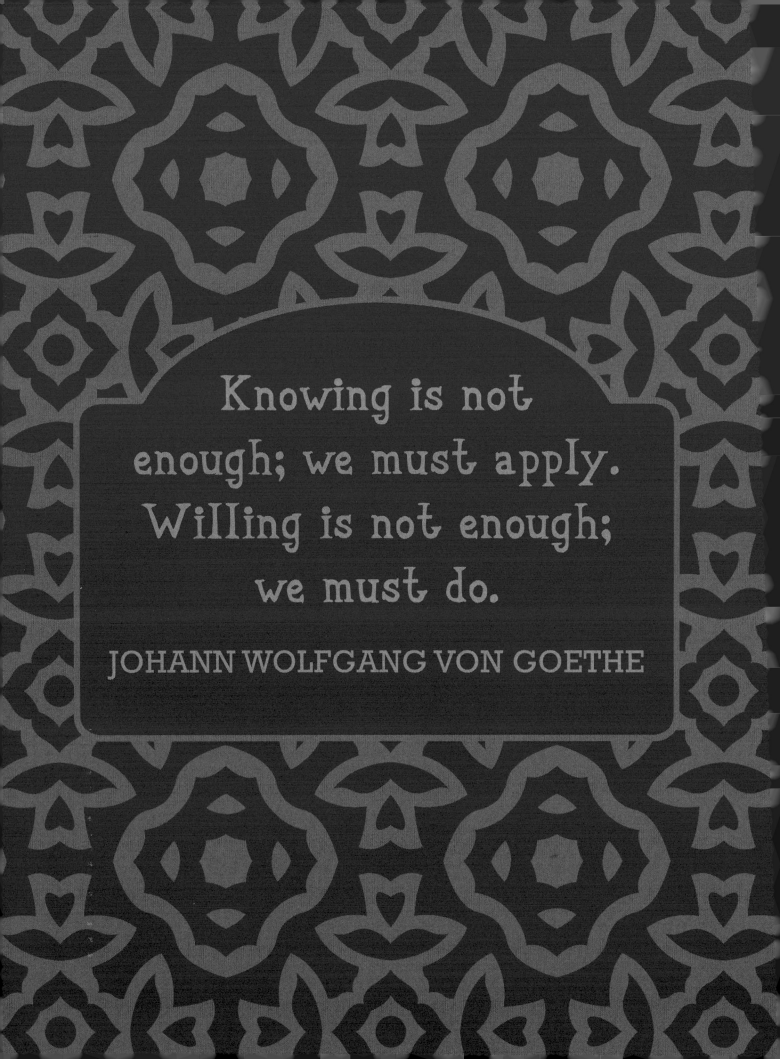

Knowing is not enough; we must apply. Willing is not enough; we must do.

JOHANN WOLFGANG VON GOETHE

```
W U W K B S Q R Y Q C U C X I S K Y T R W M I R E
H O X J G O D M E C N B V F G D B F E L R C E H T
L G M H F T O U L B R E L I G I O N C Z I R A N X
W T K D V A D K N B M M N J Y R N A B O T O C L T
S G N O S D S X S R Q U M U M I B K L D E O Y Z S
M Z X Y X S R E T S I S L L D B L L R V R L S T P
V T U G K R H F J M Y A R T A C H A O T B F M D U
T O E Z W X P K V R M H S G N X O W V Z K L A A N
P G L K G A I L B M T V E W A H C T U G U F G D J
I H Y C S X S H D U F B O N B X A G D C C J R Z F
Z C T E A Q X G H N T M N L L C N W Z L I J O Z I
B E X S V N J X Z F Y M Y P E V W A N A U F U M X
C T U Q S J O R U H M F D H J T X C O U G H P A Q
U F U J E Q B P G I D A D O T X N W Y I J I W Z O
P T H W K C Z P J Q U I I V O M S J S E V Q E C P
E J M T A Z C T O T P R C E F L Q C K F T T S T Z
V I K O N K T B D L L I P Y C U B F L Q G U F H X
C K X T S B K R J I J E U J R P H G A W G T T Z Y
T H Y H O L I V Z C W S E D V P J X W O N L M P D
S O U U L A M O U N T S H S A R M P O X C Z M E L
P T G R S P Q Z Q Q T E E S O O Y I G G E C D N Z
B Z S J C I H S T R H C J S B H K D T X E G K B M
C O S J C H Z I I A I U G C N I S Q I Q W G J G B
X E Y B X H F N J O S D I K T U H D X G H A W Z M
U A L P B J G E V K U U Z W E S H V P R B A B L L
```

AMOUNT	ARM	BLOOD	BOOKS
CABBAGE	CHURCH	COUGH	DINNER
FAIRIES	FLOOR	FORM	GROUP
HOSE	LOW	LUMBER	RELIGION
SISTERS	SNAKES	SONGS	STRING
TRAY	VOICE	VOLCANO	WALK
WRITER			

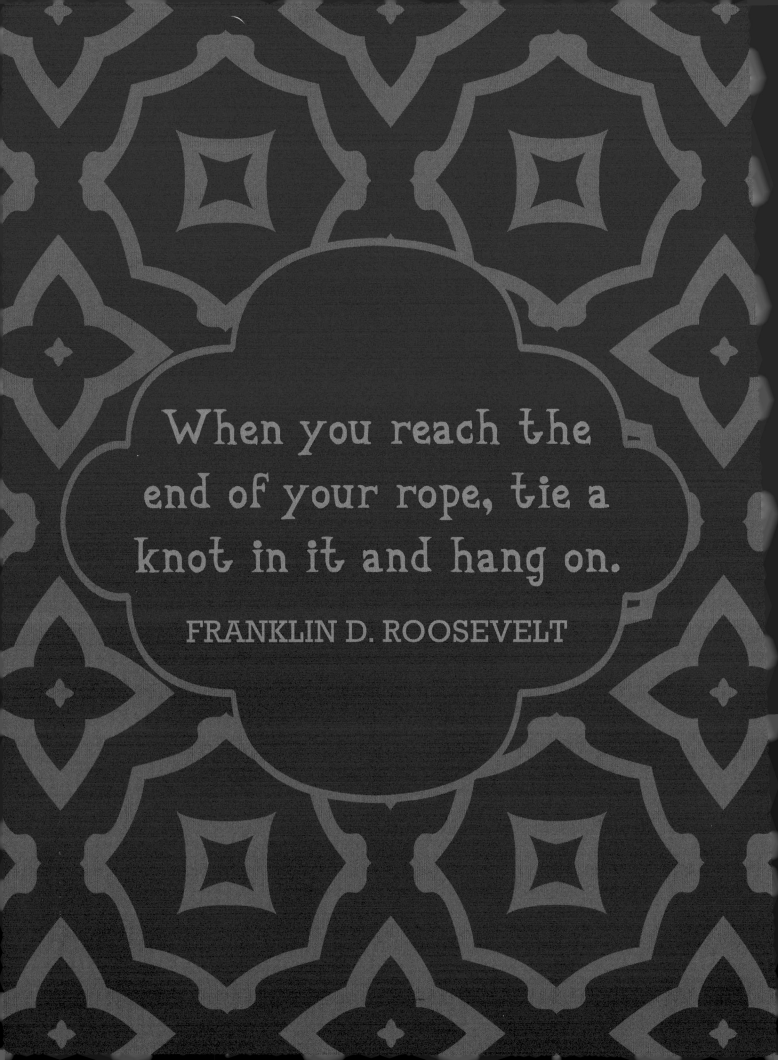

When you reach the end of your rope, tie a knot in it and hang on.

FRANKLIN D. ROOSEVELT

```
T H M T X Q H E F I F F S L K F B G O I G O L I Q
P I W V C N N K U S N F W F Y F J N U V J I J K W
G I B K O F S A W O P Q W L L U Q S D M O G V U Q
E Y G B D A Z C V V B T Y D O I X C J Z V S N P C
Z U R U A S P N Q P V D W V R I M H C E T F E O E
O N O N K R Y A Q U Z E E J E P X A F Y U M C W P
T Q U N D N G P D J E N R N A Z D N X Z O J O S V
P C P M L K B S P K P S I R C V V E W F U K F O B
B C L W M K A C E N L M T Q I L E G B S Y G L U K
F P G J J K P K N M A O H C B A Y K V Z N J E O L
D O O A M G Q R H E E E Y S H U U X W X F O R G
S X C X I T U R E E D L C K D F F D W Z V X A H W
W A J M R P S O P U R K U B M R D K Y A N G L E A
T E R G E R N I Q N B A A D I T A F P N U X T D O
D X A X I X T I V I L X X K Y A Z N P S O C P M N
D O O F N M F G P H X Y M S Y I G D T L L M F K E
B A Z Q I V F G W C A J O E N L A S I G A K R D P
L U X K V N K D H W L X T K X G W Y I U G N N A G
A R O L O G P E L H J X I I T Y G C Z W T W T O H
S I S T E R S I P Z I G O B B Q Z U G S U O V W T
D J A T H O A Q P I Z B N S V G S O Z S V C A V A
G S P H T R J M K F P S M K I G K I S S P L L M J
X G X V Q W R R S D B Q A Y Q B N G F V P Y T Q K
E J D Y T D S B C J K S B Z B O K L O X D F P R H
R Q S C V V L B Q Q P K I S T R W O E V D O O P J
```

ADVICE	ANGLE	BIKES	CHIN
DEER	FOOD	GROUP	HARMONY
HYDRANT	KISS	KNOT	MINE
MOTION	OVEN	PANCAKE	PART
PIN	PIPE	PLANT	RABBIT
RAILWAY	REGRET	SISTERS	SUGAR
TAIL			

Do not wait;
the time will never
be 'just right.' Start
where you stand, and
work with whatever
tools you may have
at your command, and
better tools will be
found as you go along.

GEORGE HERBERT

```
D C H E K T I P W F P R X T Q X T O G R K T S Y P
B T I P Y S U G C I E Y B X R A I B Q U E O D N B
L M N Z D P D S N E E Z E P O E C H J F C V Q Q Q
T B O P S Y B Z D E T O N C G V A I T I P A O G A
S T Q H C I Z K O Q M B J K F K G T E X H I D C D
F C T E A M H W E H Y M H S B Q T T M U S E R U O
L Y A N E S T W T K K T Q J N M Y P I E Z S A B S
L M X M R F F Y M W A O V U T U M A U P N W W S X
O I Q U E A H K O Q V R G H G Z J B Y M A T E O Y
D A U J M R G I M S C H J B S N G L J Y P E R W F
M E N T M X A I Z B O V E J E C I G B P W P A G M
G V W F A V S V S J W R J E A M A L G F Q L A C H
T Z J F H B U R B K Q Y F D S V I H E N K T Q F M
K O X Y T U O I S T N G W Q H Z M G K E A R G C G
I P L I Z Y Q M U I M B Y G O R V Y R K F Z P K E
W O D X W P A X D E O V W Q R N B B S K M A M L N
M L I T H J S L U L S H C T E R T S Z W O S B S Y
Z L M J R Y G X P Y H C K R W I Y K S U V G D U D
P O E L R W E L F Q X M B V N G W F I L T E P L S
V Q N X C D F W N H X I P F V X P G V K E U V W N
N L W G N A R J Q N T V L V U T J M A O S L K W T
V C L D J P G Y N P B O G O V Q Z F S R X O H F P
G O V E R N M E N T C S R Y Y H C H K R X D C Z D
R M N X W R P E U K Q T Q X W N I B O R O D V F O
F P Y K Y Z L B J N Q H L E H D D Y R V O D S C W
```

CAMERA	COAT	COVER	DEER
DIME	DOLL	DRAWER	FEELING
FLOCK	GOVERNMENT	HAMMER	MEN
NOTE	PUMP	RAKE	RHYTHM
ROBIN	SEASHORE	SNEEZE	SOCIETY
SODA	STRETCH	TEAM	TREATMENT
WALK			

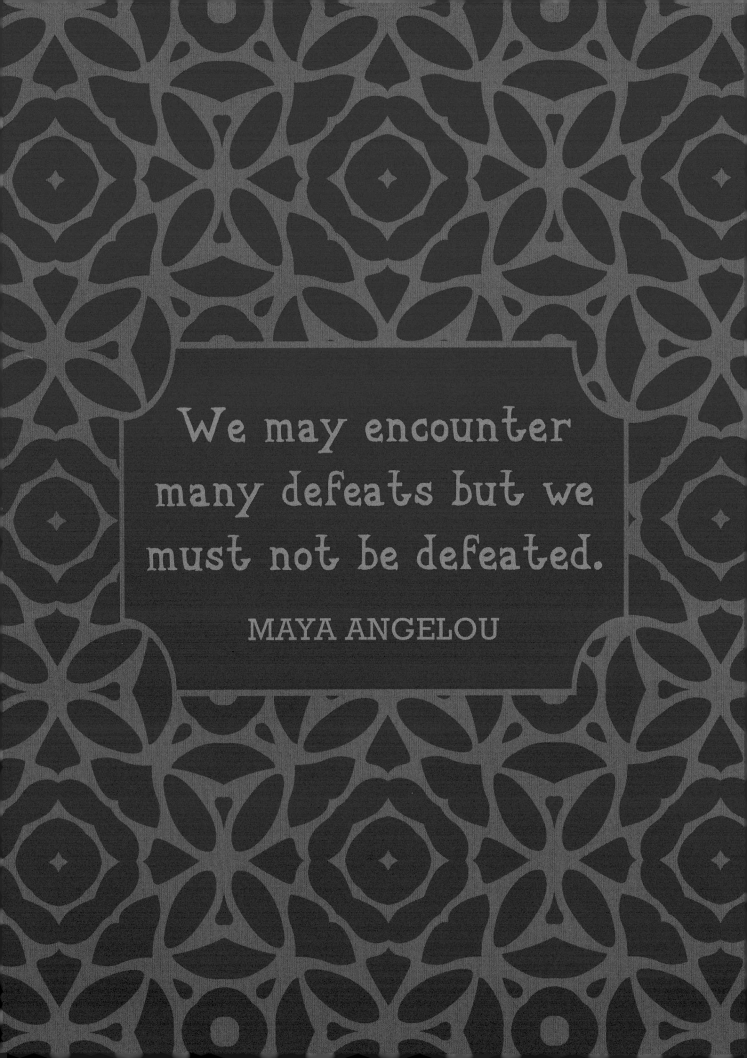

We may encounter many defeats but we must not be defeated.

MAYA ANGELOU

```
S P H D A L S P W H D R I N N S L W R G X P P K X
K Y G D W K O O T H J Z V S O R W E Y M C S Y P S
H G X H F P O Y N N P K Q B O S G D Q V T D O O E
F I L I C R K Z L G J O D L Z A R D O L H N B Q B
K D K O F A L L E G S I Q D P A W E T Z D W B O F
P I R L O B N P R A Z F G K V U K U P O G F Q I L
A N O H N E L Z R X K U C G E I J E Y Q U I L T W
N C W M N W A I Z Q Z E G E N G W D O I D A B S N
E U O K I B A R Z V Z T Q D O K G F U O Y H K K L
P E I U H O K U C N Y F K U V N W L I Q U L Y D O
V Z L O S C B A W O E X P C X I V U L W T Z J V R
Y M A B G T U M I G P Z M A E A K J D K Q U X H P
G A X F C S I I J T B Z E T D Q I D R G H E Z E A
H T I B E P E C I F F O I I Z P G B U E P Z K I F
C S I Y N A I X S V Q G D O Q F W M G Q E I P V T
E K A S P M H A Y U O T N N H Y M Z E R H R U T W
T N S M Z S D N A H K D H Y V Y Y X N T M Y N H T
B S V N S U R W X N O C O M P A R I S O N G Y U Q
B Q I R V W C L I V S D S Y T K Z S S T I N J M P
D Q R G T G L S A H I D R D D P P S L S V A Z B S
G T B I O F C T E E G W N M H O Q W E M G M R W A
T B S M M A K X H Q N Q G D N A S D I P A O X N R
I K E E W L B Q G F D N M Z P S H N P E T W V N Y
X J X E T Y S W D L C G L I X M D Y I Q J M Q H E
C X G O F S O E F W H Q Y G I D U W G F F B Q O B
```

ACOUSTICS	AIR	BEEF	CAUSE
COBWEB	COMPARISON	DESIGN	EDUCATION
FALL	HANDS	INK	MIND
OFFICE	PERSON	PET	POPCORN
QUILT	SAND	SIGN	SINK
SMASH	SONGS	TEST	THUMB
WOMAN			

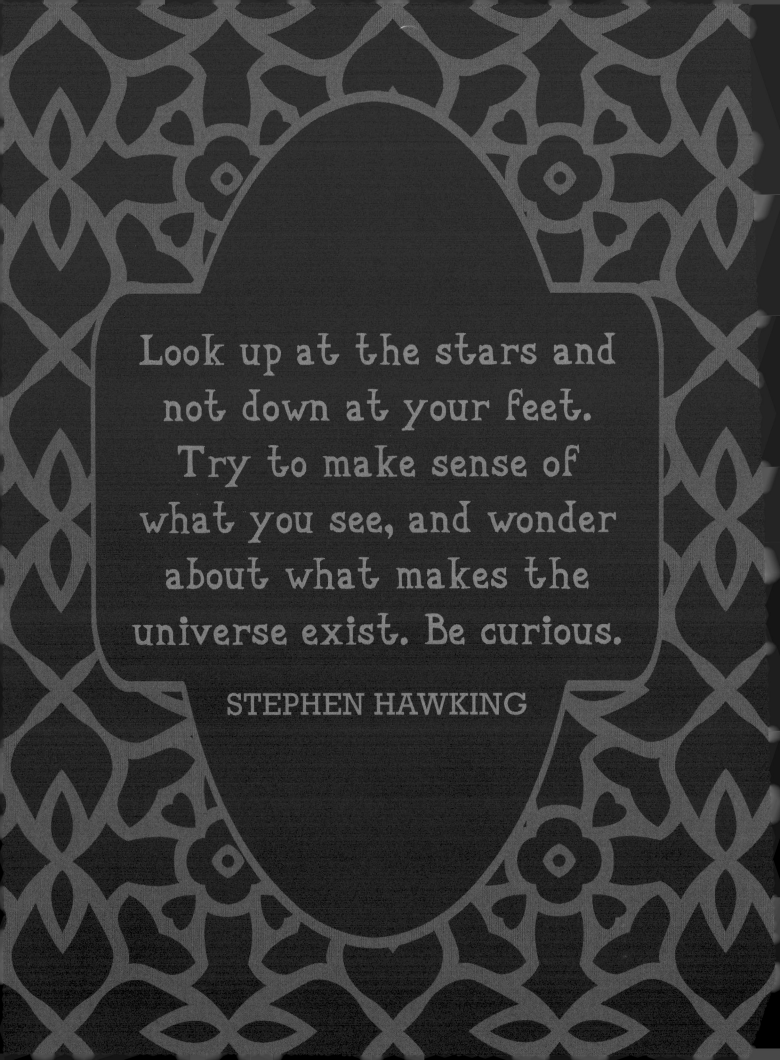

Look up at the stars and not down at your feet. Try to make sense of what you see, and wonder about what makes the universe exist. Be curious.

STEPHEN HAWKING

```
E Z U O Q S I B D Y J B M T K L U C D E B E O K E
P Z F R L Q N R I G E E H Q C T P Y K C W H E Y J
Z B R G J U W A M F E P Y R Z X X T A N Y C A Y Z
S Q O U D I E E K T N Q Z A E D T R P H O Q A P J
I C S K Q R V F I R N L D T D D G L P F R E A O Z
T I A M Q R N N P E Z O S O G I R S H R I L T Y C
R R P L C E G X Z A B U T T O N L O R S K L Y F B
V F U O E L R O T A E R C K S K V O X H Q H S I W
T V O C Z I H U Q B D D B P F A J Z H O M J M R O
Y K K K B Z Q E R Q K P A V P T F H E E G I U F
V O N C B E O D E F V G U S Q E N D P P V B M W K
J T N D I Q O Y K H X D Z A R B A Q D M L I T R U
M A T X F K T R K F M O W S K M R B G S I N A O D
C X J P O N F R O D V Y N C M N D S A R J U D L P
C M O A Z S P F F E E J N H S X Y C Q D Y J V O U
U B N R K M J D J X M F C K A L H R Y E I T K C Y
Q O D V A O P M N A X H C I D X E F G O R J E T Y
W F L A Q K C I Y I W I Y L X F W H Z E G D K Y P
O X Q Q R E J C W G T S T Z D Z Q N E Y J C L N V
M M G M G X T T L S R X I A M A N S X M H D Y X N
D H F Z R T A S T E W D A D X F T L M R D L L B G
R K N E B L M H S S W M A T M R P Z H F G H S W S
B E P O U K M A T D A Z M F A P G P F C N N P Z B
N A Y E D P B V F D M V W A R T S R K X A V G U N
P L J U P A J Y W C P A R A G F U Q R J L Q Y A M
```

BASE	BOY	BUTTON	COLOR
COOK	CREATOR	DAD	FEAR
HOLIDAY	HYDRANT	KICK	MEETING
ORDER	PAPER	SCALE	SHOE
SMOKE	SQUIRREL	STICKS	STRAW
TASTE	TAX	TREES	TRUCK
WISH			

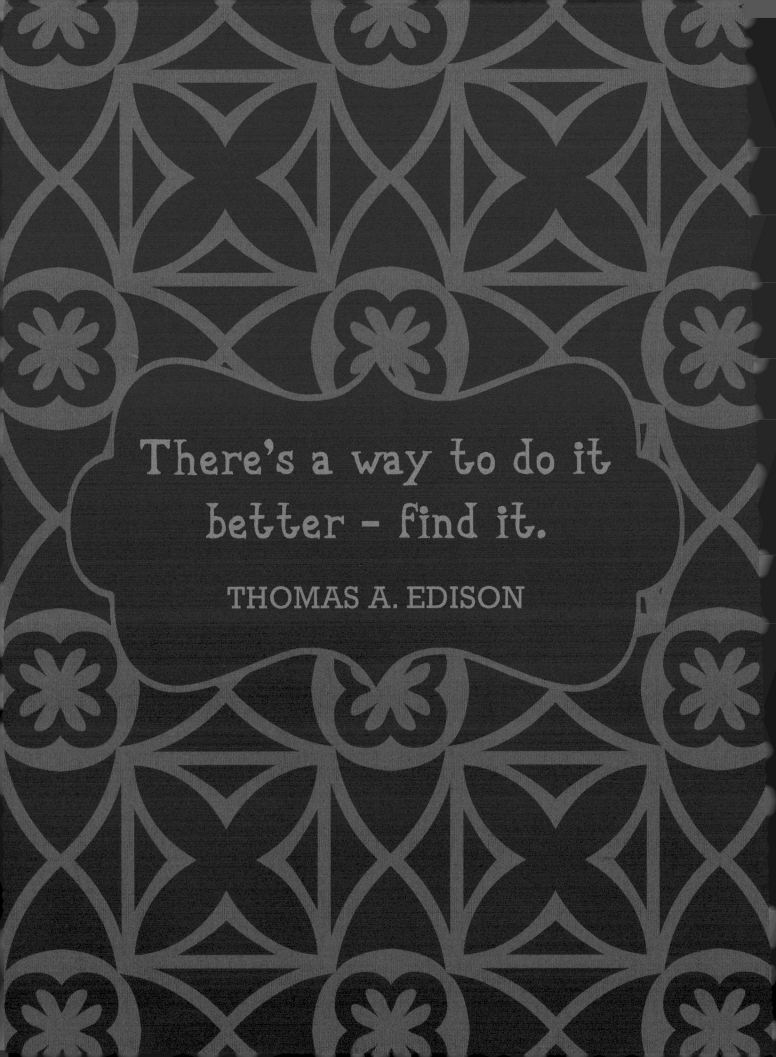

There's a way to do it better - find it.

THOMAS A. EDISON

```
Q X R F S Y C R K Z Y D S B C L Y I E T X C F D C
G U C M L G G A V G N N X S A Q C R B W X E Y G I
K Y I Y I G R E O J L W C L G I O D O T E Q O U U
W O C V R I Z E V X I Y K C G V T C S L H F W N T
R Y J A E C G E N V N R Z M M E R E I Z J N U O Q
E J D Z U R N J N T T C O G Y E N N S R E T T E L
N E V A Y D V Q S I R G R Q F C G F G B K T U R N
A T T R A C T I O N E A W O J I L Z O T E A U E A
S I T S E R Z L Y C B B P M R M A A T I N H I F I
U Q H Q Z E P E Y R M O V L O R T X G X E C W U J
E B M A F A M S K E U Y N G C E E A M O O Q K P H
H M Q R C G V O Z A L D X Q E L O F E V T B U T R
L X A W U D P S X S D Y A L O P I R O S U J Q M V
F K L K K D J K M E E X E H Q F O L L Y X X T L P
Q F C O C Y Y H G P K B R C I R C L E K U M Y H L
B U A G Q O N N U R Q C T Z K P S W U V J B Z F O
U T W U X G N L C N S L A D S Y K P T W V E T Z C
N N P I W T X D L Z M V P M G A Z S Q U A Y E V I
W A N D U A O L I H Q O X S G M Y H S S W B W D C
Z P R E T J U L M T D M G C T D E T Q D H D N T Y
B J I C I O D W P I I W E R C S Q T W P T B F Y Y
G N M X N E H S U Z H O J T H M X A D H J W X C X
U V K V N H K Q M Q O F N T V B V Z L S N C P C G
U F C R E G I A W F M W O S K C W T K T J G H H I
W G I T E L W E L P V N O J Y F W U V C J X C A U
```

ATTRACTION	BAIT	BOAT	CIRCLE
CONDITION	EAR	ERROR	FEELING
GRADE	GUIDE	INCREASE	LAKE
LETTERS	LIQUID	LUMBER	MICE
NEST	PARTNER	QUIVER	REST
SCREW	TAX	TIN	TURN
WREN			

Set your goals high, and don't stop till you get there.

BO JACKSON

```
R K W O M G E P W X V U S M A C K Z T H X K J N X
V E Q T I K N J R Y J M K V A L Q Z U J L N U A C
E I T G W I Q L A T Y C E O Y E A Y N M W O N E N
K B L T F E R V M G J G J K E O T R E U X W C O A
I E S Q U G P K C L E D O C T O R S M H L L S U X
B Y O I J B T V T T M E G T T L W V F N J E D Z K
U H Q F H D G I A T P I P K G E K H Z E E D B R E
C P B A N Q I B N A I K G F P V L K Z C Q G G R T
W Z F A L L L R H S K M X Y Y Y T R B B B E X D T
S F Q G I E D S E X E L A M S U W O B D A Z H E T
K L U E P U S A N C S C K W O B Y T M V H U N M I
X L A O Z L W X Y V T B T V J P I E F Q S T A O C
T D W S Y I N W Q R K I Y L G X X R R P Y V T D K
K E L L Y N W Y E Y I O O H U M I A O E E D X O U
R I W C B K E E I V J M N A E C B G E B O P A P
P V G W D S N O I T C I R F E V O T S D R E S S X
J Z J F I V Q O J D L G D L Y R N A L Q G W B P N
C U F J N O Q K Y Z I E L L Q B N W S A L A X U Z
V K X I N D S K S N L F G C K M P Q Y Q U C P S Y
P A S S E N G E R C W X N C U L Y E E I U F Q M Z
F F F S R L G K R Z Q F I U E F L Y H L B S M X R
O Z O L O P I I F K D O R H J O W V I E T E R X C
J Q P M Z T C A Q L E B T I H B Q D A E F K G K G
K M N S Q C V N R G K V S F J O F R J H W L R N F
F F Q T I V B W A A C I D E I X Y P N W U Y A Q V
```

ALARM	BIKE	BUTTER	CIRCLE
COAT	DINNER	DIRECTION	DOCTOR
DRESS	FRICTION	FROGS	HOLE
INSECT	KNOWLEDGE	PASSENGER	PIE
POWER	RAIL	SHAPE	SLIP
STEAM	STOVE	STRING	VEGETABLE
WHEEL			

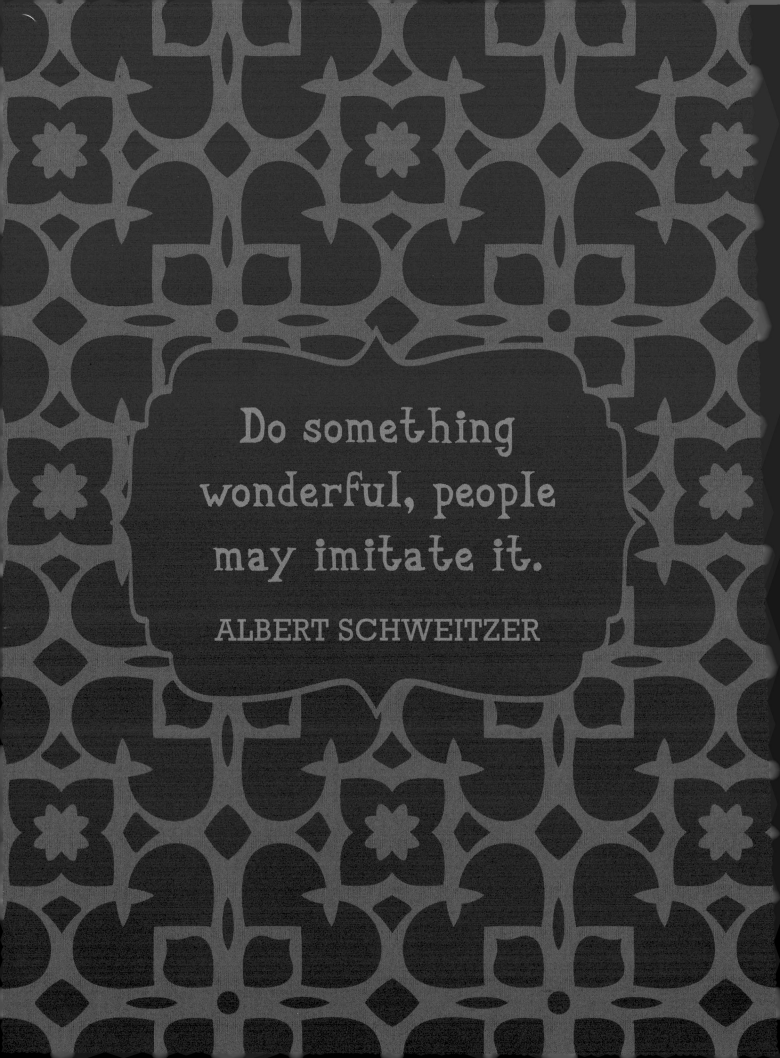

Do something wonderful, people may imitate it.

ALBERT SCHWEITZER

```
N T N D Q D X D P R F X Y G F I V E P K P O H V C
O X Y O W E U I R E O P K M J Z S C I S D O H U K
I P T O I C B X P V L B Z I V A S D C E Y U N R M
T W R H K T L H T I R O W S E P N J T D H R E A V
I C Y T C C C H V R K M J R W W T T U N X W C Q L
D Z U Q J N E U K L J M C D L E I F R R G C B Y W
D N T L J O B N R W B N J X B Y M P E H U M A C J
A C R O R X Y N D T I S E A S H O R E U Y Y T J X
B P N Y N D R E S S S Z R I V T O R Y X P B Q V G
E H T B L K V N R X Q E R X F T N F E N O V F Y H
K Q I L J N I Q D M D J D S M Z S P P O O G J I Q
N C X K R J Y S X P E G N R V B Z O I J F R L Z
O E R R X B L D H A L K G G L K G D C E F H K W D
T C O A I C A Y E K N O M Y A H U E F O O T C X X
E P X N S B H L B J E S P W B T S T C V Z Y O Y H
G G O U C T D Y A A A C A C U P L I W R I M O G X
T Y N G T H Y Y Z N Y I E Q T A Y V D L O A O Z V
P B H B R R Z N Y A C Q L K S B S W F G P F J R E
E W T P J J W B Z S N E U H N I M L E P C N Q M W
Q V M J D L Z J Y Y S D F R E T G X W C K W W T P
B A R I Q J O M J A K A W N S E V N J V R X J M Z
L J D A X P C R O F T M R C L Z S Z R H R S V W G
J B B E N I F M J I T W R G O L K Y L T N U A F C
B Q H D N G B V J O Y U E H P N U B F I Y Y P G E
N L D M X N E N X M R P E D E L Q H M V J N R M T
```

ADDITION	AUNT	BALANCE	BITE
CROWD	DESK	DESTRUCTION	DRESS
DUCK	FIELD	FOOT	FORCE
GRASS	INCREASE	JAIL	KNOT
LAMP	MONKEY	PICTURE	RANGE
RIVER	SEASHORE	SLOPE	THEORY
VOICE			

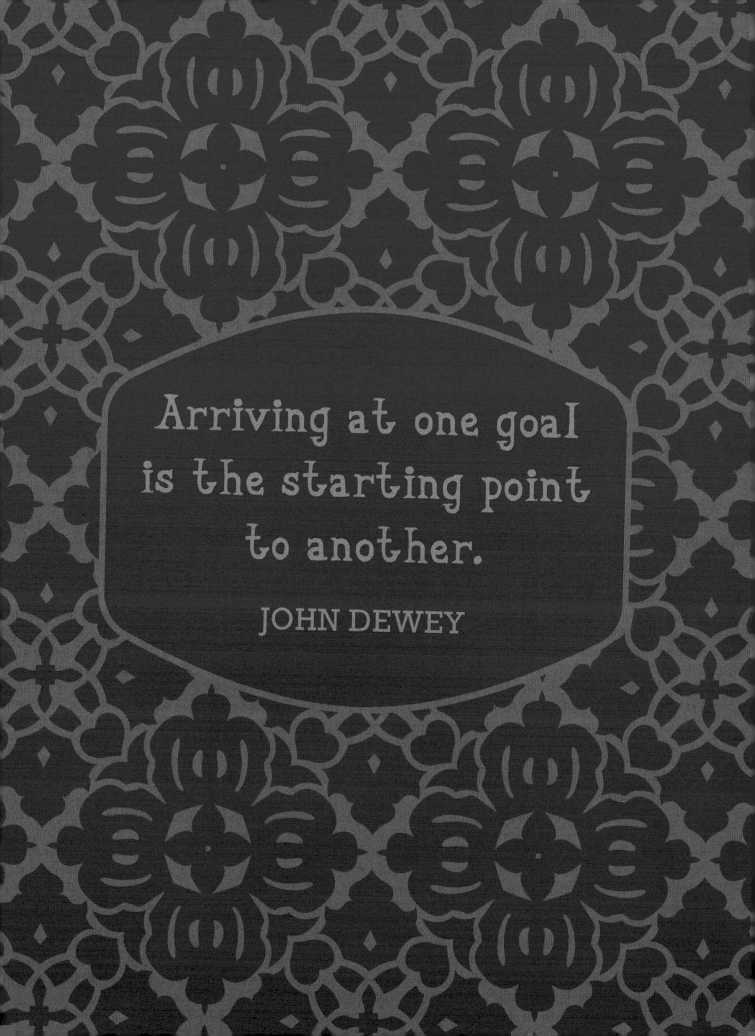

Arriving at one goal
is the starting point
to another.

JOHN DEWEY

```
K Z I C H V X L R Y B J V F R E Q C M M R R E S N
P B D O D L Q I F K E I P M S E Q K A E A F F G G
J K A W C M I S A Y K K G I Q P A C O Y H P U B J
E X O S W B G Y Q C F Y N F A T O D A U C S Y D C
Y W O G M V E M K J A O T O F I I O I T C D U Y Z
J P F G Q C B V B P M Q J R M J Y V J N T I A W P
N O I T A L E R A U L I G B E Z F Q J S G R J W Z
I B R T Y Q W R E C M D P J D N S O E I C T H S E
Y S O R A K I C F Q K T V K M P F P U C P T O V R
E W S M U V F U M H J N Y P K T U F H M D A W T A
N R V Y A A E I Y I J S I E L K Q P X Y A K L Z L
J E D I U Y V L I B O E S A O A T M E A L R T A H
O H J N J P R J W C I I D T T U I D L U P O K L Y
K L N T Z U K E C T R X C V R N B M E W S W L S R
G E M O N U I W D P F I G K E M U K U Z I Z V N T
T T V P U K G F R M G A E Q P M K O S A C K E H S
X T P O P B H U I A L Y A W P B T T M R T C Y X U
K E F T E A S M M T O A A W O S M G H P K W K D D
O R D O O F X U Q G A Q Q G C B W I K S P A C E N
R W Z M U T X B C A F X G H I F M I C O E G F D I
T V W J Q N F R J Z E W T Z Q E T F N R G E I F E
C O R I F F J U L N L T F W V J F G U G R G S C A
R J L F N O W Y O G T Y W N S D L P B J G B I U I
A E K H X I T B I A Z T T H G I E W G M C Y H X M
B L J R C X H G R I W J C B A A W W N Y J X B O W
```

CAVE	COPPER	COWS	FOOD
HAT	INDUSTRY	LETTER	LOAF
MAGIC	MARK	MONKEY	MOUNTAIN
NECK	OATMEAL	PEST	READING
RELATION	SACK	SPACE	SURPRISE
SWING	TOWN	TURKEY	WEIGHT
WORK			

You are not here
merely to make a living.
You are here in order to
enable the world to live
more amply, with greater
vision, with a finer spirit
of hope and achievement.
You are here to enrich
the world, and you
impoverish yourself if you
forget the errand.

WOODROW WILSON

```
T K M Q P H B M Z I A L S G C V T U Q K B S E S Q
C R Z I T M W I L D E R N E S S R N J T P W N V I
K F E L N A K M L I R H D F W U E C V A U O W L I
C X A A W T W C D L N W C W R X P O C H W B D P A
Q E F H T V M S W J O T C N O O X E O S F L L L M
W R X U O M L Z S P F F N E E G E U E O K S M E I
F H W E C B E T P W F S X U E R N U R V V P N A S
O H V A G U S N M U X O W E U P W X D N G S T S Y
F Z L P K T T F T O X U V L Y X M L X I T N L U Q
K F V O N H O J V H J I B E A D B G Y K Z J B R Y
Y A P Y N V R X A N T Q N O E A R K P W T N O E J
H Z H C S I Y U I A D Z G U L D T N P R H A I K V
N S R W W M D E T D I R P B J S K C A T R J C C B
I E X O D D M N Z S X R F U Q U Z L C M V K D D G
L K G E Z U E H U B I U G G C I C K X K P Y J Y M
A G K Y K S B S D Z M Q Z P H J L Q H G S S K N N
L I A R E I K Y W Q V P E A R L N U J M C C F Z J
N Z R R S Q F H V M A T L U D N R F I C G L E Y C
E A P A E H U I D N O I K S R D U F L K B A G N H
V E C R A Y O N C O T U K A N J U S N E W N A C E
R O L U Q N Y A X H R S E N H L H B L Y S D G E D
W A N L J N K K Z E U B S D W M E R U T X E T M M
G N C O C E W S B B U N W Z F Z S F I M Y L L C K
M H V V R G N K G A B J Y Q O C B K B M R M E G B
J K X K Z H P Q N A N W E I H R L M W W J S M I I
```

BEAD	BEAR	CRAYON	EXPERT
LAND	MINT	PANCAKE	PLEASURE
RAIL	REPRESENTATIVE	ROD	RUN
SCENE	SELF	SNOW	SPACE
STORY	SUIT	TEXTURE	TREATMENT
TUB	WEALTH	WILDERNESS	WRENCH

Consult not your fears but your hopes and your dreams. Think not about your frustrations, but about your unfulfilled potential. Concern yourself not with what you tried and failed in, but with what it is still possible for you to do.

POPE JOHN XXIII

```
S K T M I R S M W G T U D B T W Y U H I Q L G A E
I N V R I E D Q G Y G J C G I W J Z K B O H B P Q
X S L N I Y V X I I D O S T R E T C H Y O Q A W L
K Z G R Q K J I L P N O S M E C P T W U J W J W Q
X S I C J F S C X N E P X X C J H V G E F L U S I
D A S C D B Z K E F F Z O O V D J R G U U H U J T
F T W X S P O C T W N A T S R N Q K W K S Q N J W
Y V V A K K T D Y E L N Q V H O S U T A R A P P A
S F M L S I A G E J X A W K J Z A B H S E T L T W
V G V C O T Q O V W F D K M R C L O C F D K A T H
I E O N V P E Y C G I E F O K W J O M U I S Q C P
I R K D Q U E T H N X D O T H C Q Q P S P Q P A M
T R E E S L C T Z A T K E A G H B I I W S W L X X
S H L G B O I F K P M R M S W N Q Z V Q J N B T D
S R A C C A X R J Z X W E F T H U I G Y Y A Z K P
H S A O K F C W O I U X A I X R H V O R Z E I K S
K P D O G A E G Q M C R W X O I U C Y O C L N Y P
G O Y I R N I O L T J R I Y V S M C A C L W S I F
K N G D M P P Y T M D F O S U J D F T U C X T D S
O G I E S Y I L O P M H T F P B B P M I K G R O E
W E P V D K B G A P J T N W C H W V L T O G U S T
Z I K O I I P R A S O B A D J U V Q M R M N M W N
T D O T S R Z E J T T D L T G F L P J K L H E N K
I L G F Z Y D P N E D I P Y O G Y G U L N M N J Y
B M E P S L L E B O X H C K C E R G F X B D T R L
```

APPARATUS	BELLS	BLOOD	CARD
CARS	CONNECTION	DESTRUCTION	DOG
DOGS	DRIVING	FAIRIES	INSTRUMENT
LOAF	PAN	PIG	PLANT
PLASTIC	RINGS	SKIRT	SPIDERS
SPONGE	STRETCH	TOE	TREES
WASTE			

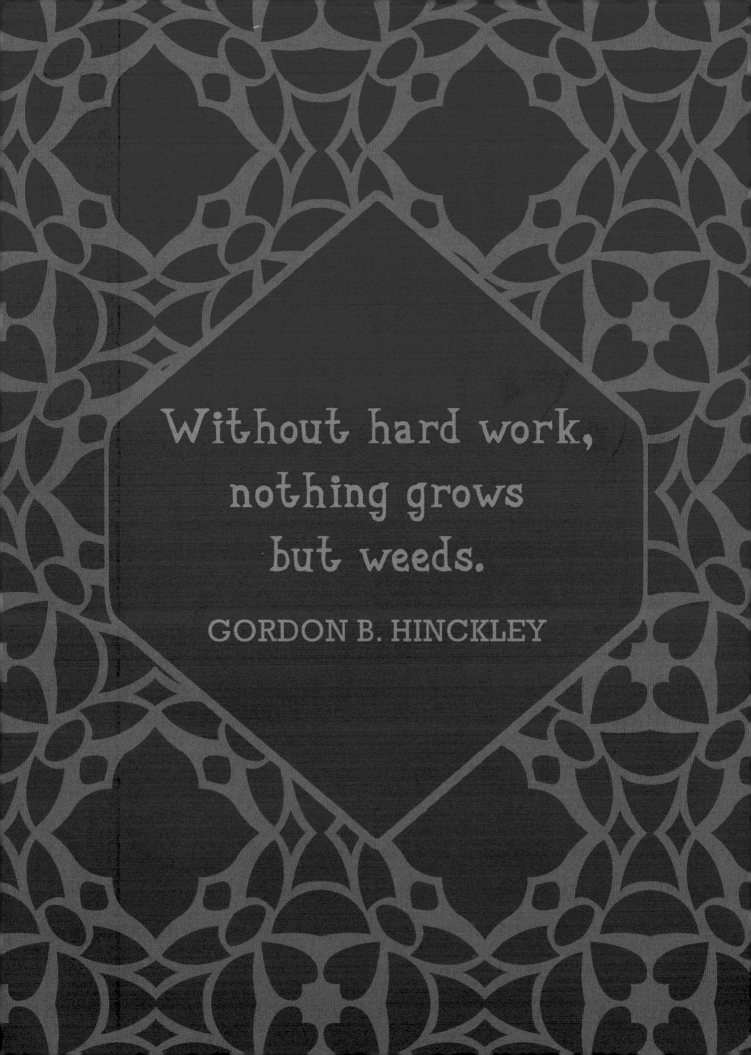

Without hard work,
nothing grows
but weeds.

GORDON B. HINCKLEY

```
Z I G N P P Y I W M R O H Z H U R R Y S V S O R X
S A B D E Q O O J Z X E A U G Y O L U I H U A K P
I O B N L M P P K Y A R H N C Q Z U Y S H P K B J
D E S H J P O J Z T B D U T R W J R M T F I F Y Y
E A S C T B O W W E S R J O A Q Z G U E R G Q J W
W T Z Z K R C I Z Q I I H T V E O K Y R T O D R W
A S T A J T D K W L N D R F B J W X E F J O E G Z
L S C Q Q V R T G Z H A X V O X O A K X F U A C J
K D R A C K R E F L I T D I J K E Q A S D W Z J C
I N S S V O I C Q N E A I F V F P D H M E C J I N
I X J V U O X N S N G X K Q C W E P S E E S C N N
H L K S N K X A Y M G J W C P C E P K F R T W H J
Q Z E H S V V L Q B S Q D D W L G K H E O E S D J
U R C V Y F P A I Z E X V J T I O V Q Y Z C I Q M
S X J O F D T B Z F R E P S G J S E A R J R L Z C
P Y K Z S M E B N V B P I I K U F D C L H G G W T
Z A W U Y R A G W N V H I Y O K D Y L C N L L W K
J G S E M N B D R R W B H C E M N H K J X O I S R
W U F S N F O Z G E C Z W P J S A I M C H J E S F
V R G G E S G U L R E U T Y H D L T E E A V P X F
A P E C F N O H O R N S U G G E S T I O N M A W W
E K P N B N G R E N U B P T U H L Q D M D I W B P
C I G A M C R E T O Y R F G V U C I T S A L P O T
L C O V H O N F R O P A D Q Z F N X G G E V T A S
S T Y I F K N X N N P R L M T L Q E X P E R T N A
```

BALANCE	CARD	DEGREE	EXPERT
HAND	HORN	LAND	MAGIC
PASSENGER	PLASTIC	SHAKE	SIDEWALK
SISTER	STEM	SUGGESTION	TOP
TOY	TRAINS	TROUSERS	WEATHER
WEEK	WHISTLE	WOMEN	WREN
ZEBRA			

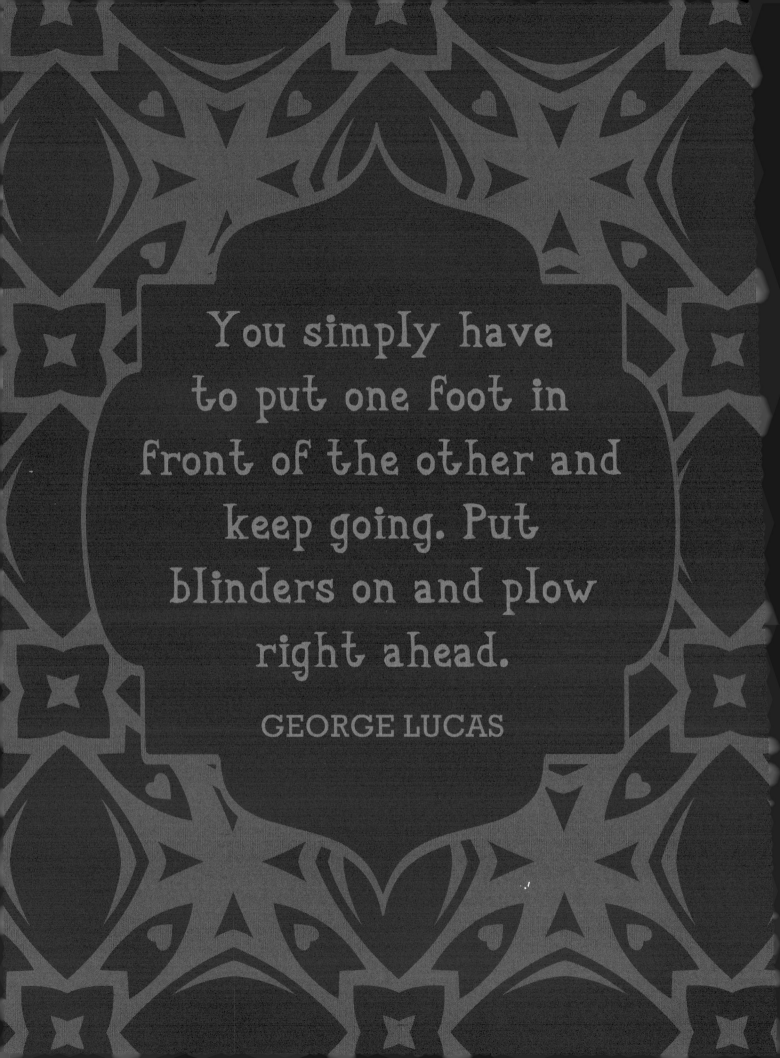

You simply have to put one foot in front of the other and keep going. Put blinders on and plow right ahead.

GEORGE LUCAS

```
U O N K L K W B H N C V A I D E A C E O B I Z P B
E D J K O A V G T T M O V X P T S E S D O G J V T
A A B M T U O I N R U J L V B N N R W I S H M L B
F H L A V K M Z O U E M A L F K C A O S V O P T E
R M E Y O L N H M M F N Z W G U Y M F H T S U G V
G L X W Q D P G L Y G O G V C D U Y V G A G N P L
D Y J G D C U E S S R I R M M J A K N B X E E D I
V P E X K F U T A W G T A I L O A I O N J I U P Z
D P N G O C O C L R F U N Q O R H T Q Z Q V V Y W U
X B P U N R R U K R Q L U W U C W R V K T Z C J U
D X H I E G Z J C P M L F X A F E R S H P D W O W
H W M W D I N T A Q B O O E R U K R G T N S I A N
N N P M V N S O E L Y P T F E H Y M U Z Z T S T T
K T N S U Y E C S X X D J E X W P A V T O P S L B
Q M K U S O N K E O P I E A K S B X V Z I G W N C
C H K Z U F F I T K L K O R D E V F G C I N M P R
H U L T G A P F L V A J V G R E G R E T K J R U P
E K W L Y D Y Z I D Q A Z V O O I C X S O Z L U N
R P Q M E K H W H R A E Z Y P D D J E E R E F M F
R G S N A V R S W W C P P R E E E D O N Y N B Y A
Y C W A I Q R M N N S L O O P M A D B X D D B R B
P J C F M Q O A O B I U K I W I K C V H H O T O Y
Y V H O T T W B A C Q O G E G D N L W O N P Y Y A
Q M N T K V C Q Z H Z C L U G F E K B E O J O X Z
V N K S A A U W Q U Q C A T S I J R C Z Z I O S L
```

ART	CHERRY	DESK	DIME
DROP	END	FEAR	FLAME
FURNITURE	HORSE	KNEE	MONTH
PEAR	POLLUTION	POWDER	REGRET
RULE	SONG	SOUP	SPOT
STORE	TAIL	TEACHING	VAN
WISH			

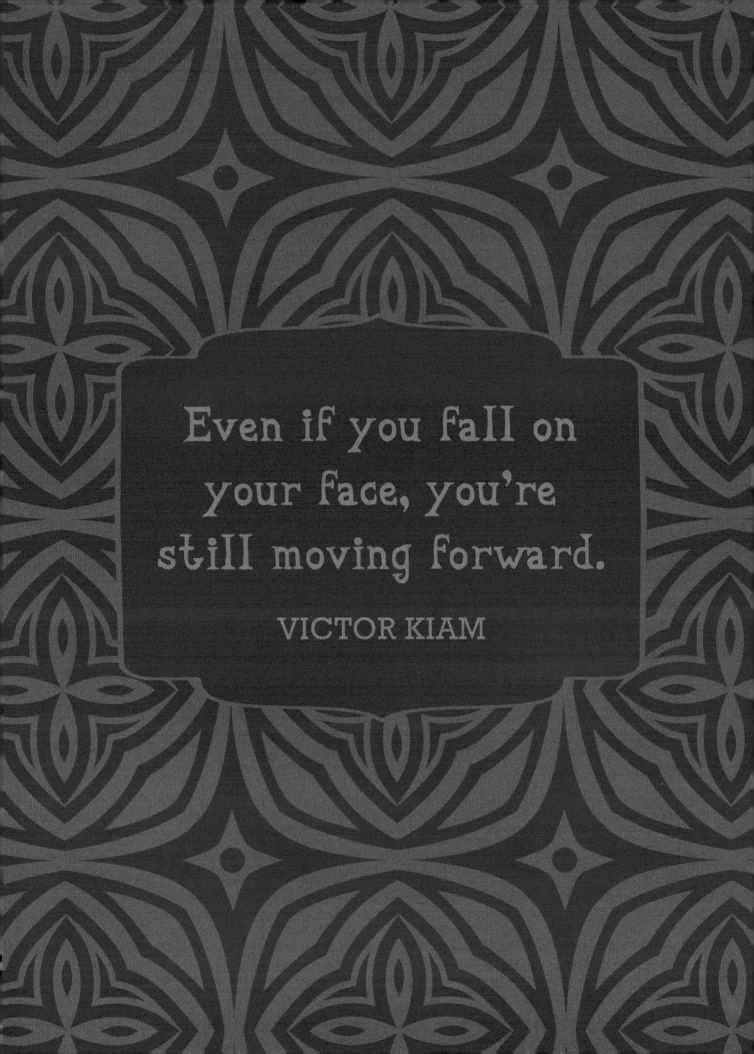

Even if you fall on your face, you're still moving forward.

VICTOR KIAM

```
B A R D U C K M G X M B E P L A M E H E N X Y E Z
C T Q J D H J S I S L F L C Y Q L S F J R O T A T
H Z N V H I J O O B P E O N U W O N V E B A K F
A H H A Q C T G G W A Q H G U A L R N Z O L K Q Q
P L Q T O K L I P S E G N A R O L P Z Q Y I K J I
U S G D Z E G M U F P X B C N H L A Q O P A M U H
Z W M C E N V R B Y Y V S C L L R C B Q F M O F O
A R O S E S E Q O X A Z F E J T Q V A L A L A F I
W V V V Q X L P U K P O X N M N P P G Q A F X I I
D E S I G N P Y V D I U U T H Z O M M Y H S V E D
V V K Z Y R M G O N C D E K O P J B A I E C W G K
I O G W N P D J R J J J Y G A P T K D T D V G M Q
C N R V V X C G Q Q Y V V L J L U G C R B U A V Z
X H V N P C W G D Q A Y Z M M U Z H K O F P Z J Z
M X C E N W U L S S E V D W T F U O V S I I E S V
K L N U N X D I Z O R J G W O Q O U L P J I B K G
D N I W X T P D J V T J P Y P H U J R M D M D T C
L A N D Q B I L I C N E E U Q U K H C J Z E R E G
B F C R I J L O E I K J I N O T T S H V Q A G W Q
S A R C W N B F N A T V E Z O S Z G E Y I I U G B
A W I A K J F U B M D A Q C N L X E E L Y A T T R
T R N T L E X K B E O X N A W B D X S B Z A Y Y V
I H B A H C A A Q B C G U C N R V N E O O B X S K
F K K E Q A L Y Z W L C Y K O M V Q J C H Q U Z C
Q E J N Z V T P O D S E F E E Z C J C D G L Q I K
```

BAIT	BALANCE	BUBBLE	CENT
CHEESE	CHICKENS	COAT	DESIGN
EFFECT	HAT	HOOK	HOSE
INVENTION	LAKE	LAND	LIP
MAILBOX	ORANGES	PLEASURE	PROSE
QUEEN	SORT	TRAIL	WIND
ZEBRA			

One finds limits by pushing them.

HERBERT SIMON

```
E S Y D I S T A N C E M H Q T T D R A O B S Q L X
H J H J C Q U I C D K O I A M E E V M P O G L L V
W Y A W S V H O I B M C R N U K Y O M N L N B Z D
T Q Y K X G K C K E B Q A Z E R Q Q L H S I W S V
G S V B J P O L G D F M M T R A D O Z D C R A U W
F O O T K U A H Z E U U E L T M D T F P D Q K O Z
P X Z H N H P Y V K H G H Q Q A M F I O T J M H O
I E T T G L P A M V D G F B E D Y H V K M A Q B K
K W R S U A L Q E E R O C K A F P X I B N Z J N I
X Y B V E S W M Z U N D S M E S A L R R E F R X C
D L S U O T I U S S K T H E R I V E R A Q U A O K
Y Y G P Y R Z E V R R X R O U I I Y T K J N M C V
B N I R S K R S O K P G E L I T S R H E I Y O F S
F L Y E A U Q P N A P S I M Z P W O U H T D T P O
V L E J S D C D Y D L O G X D M U V H Q A M P E D
F R J A F X E X I Q D M H W H S R T O G I L W N I
T F E L R C L X S L Z W J C L K D C V N L M Y I H
O L S P I L D H J X T Q B A B E I E L T S I H W R
P V W L E Y M T J T V W B X W J D M D W Q C F G C
X D K Z N O S K B J M X K X F U M T T C H P T A D
H Z M K D P V S P V Z A S W H C R M B I M T N M Y
Y J N E S O A T E I L K R B Z X B F T E X Z T M K
N B X I N G B X W C X J V P W K B A I A L N E P O
U T G X X W K C U K P H I V N B I B N L J Q Y B A
D D U J U J L N L K T T N U R S R Y A Q C Z A L T
```

ATTACK	BOARD	BRAKE	COUNTRY
DISTANCE	FLY	FRIENDS	GHOST
GOLD	GRADE	HOME	KICK
MARKET	MINE	PAYMENT	PLEASURE
RINGS	RIVER	ROCK	SLAVE
TEST	TREES	WHISTLE	WINE
WOMAN			

Do the one
thing you think
you cannot do. Fail at
it. Try again. Do better
the second time. The only
people who never tumble
are those who never
mount the high wire.
This is your moment.
Own it.

OPRAH WINFREY

```
E W S J A W Y M Y A W S Y A A H I L M N G K V C A
X I Y T D A Y M E X E X H L C W R N K K B U I W G
W O C E N R A Y R B Y V T L T R H C X M P Z N W R
A T E O P N V Z O A V M A E I I A O D R U T B Y O
C R H X S O S Y Y Z Z A N R O S Z W Z G J L O T O
M N F I E G M T V Z O C F B N K M X H E J S S O L
E S U Q N A S D M B Z C J M H Y P X R C L Q W R F
U V Q A E G P P F K S E X U B S U T V Q U C A R S
E H Q J Y I O T P K O J I P X L O N M I A L O Q D
R K V S P U I J O Q C L J D A P H K N K H A D P R
B S B W E M K E M Y C N E D N E T C D Z W F R P A
H E G Q S H S A Q R P N C S H G E S P V L Z N C Q
G G L M U R X Z L A X B E W O M A N F I B S T G I
Z H S Z H Y E F F Q A Z E C E I R R A T M O A Z K
L W K K A T L G O W I N G U X A J C P F O U L Y I
A Z Z J E N T B N M O N Y B Q F D E N F C N H G B
A H T D L R F L C A I X J S D K F N Y K A D U L Q
W T T B O I Z Y R T R H L X B Y Z Q O P Q W J T R
S I T R H Q S I T H T F E N K G M A T W B M E H
O Q T A A P T R Y L Z R S Y G A T S U G U U M V E
D U A S C E W T R K A R P B V B Z V D K C C P L Z
T E P K D K F W I C E R C N P X D E J N T G P U J
P M R E T N I W S S C Q M I M F C Y S N H A U R U
Z R A F P L F I R E M A N D Q G F Y G T W U O H E
K M O H I Z I J I U A I L I T G V F L L J L M J V
```

ACTION	ARMY	ATTACK	BOY
CARS	CUB	DEER	EARTH
FIREMAN	FLOOR	HOLE	LEG
QUINCE	SACK	SCARF	SOUND
STRANGER	TENDENCY	THING	UMBRELLA
USE	WINTER	WOMAN	WRITING
YARN			

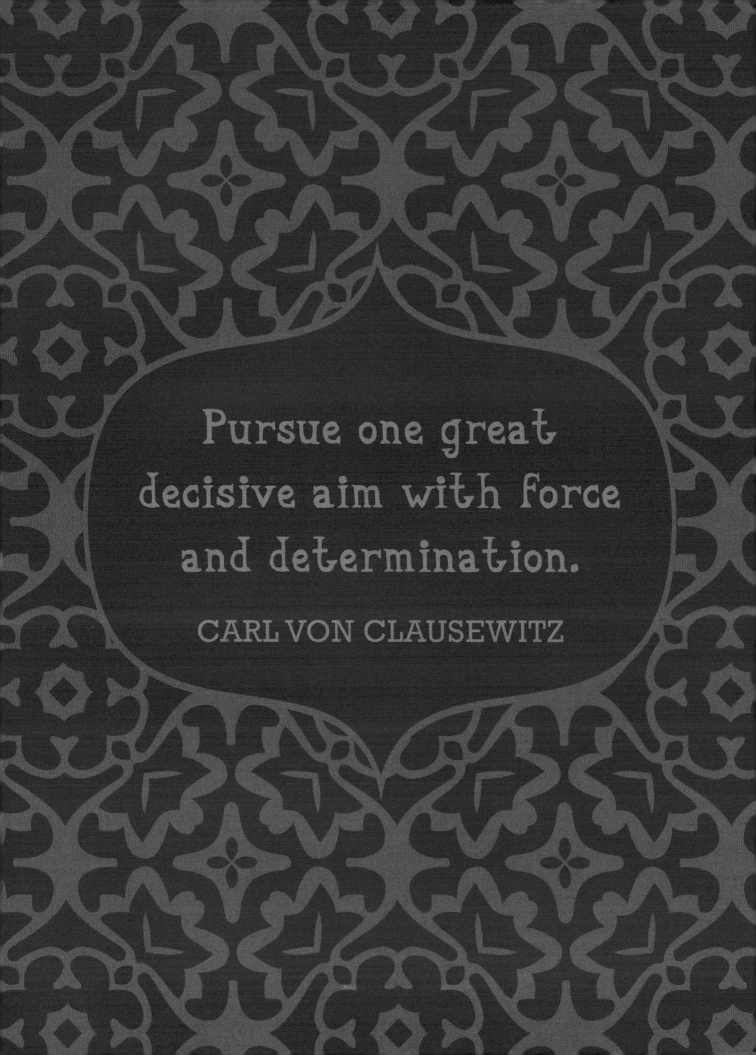

Pursue one great decisive aim with force and determination.

CARL VON CLAUSEWITZ

```
Q G S J I D C O X C F T L W K U F H I S X S D D U
O U N S Q E E X B B S C U M M V V E R N G T W G G
W O P E L Z C S L O C P V C X R C S M Q Q O D E Z
R G R M I V L N T F L L F Y R I G H I K Q N R R T
C U Z Y X M T B K R I C G S K I M C J E X E U S O
S H E L F E T B Z A U B H J T B A F G D M D N Y O
W W B M E J F C R E U C T E Y X Y H I C Y Z T V T
T C E H C S O A A R V G T A A T O R S B J S N F H
Q Z I X L Z K W S F C S F I J D T A C B A O Z E B
S R E S U O R T V G W W D C O M P E T I T I O N R
F P G J O E Q W N Q H Q C E V N G I E V F L V H U
C B E F G R N S J J C O V R F R A Q X K F T T G S
W Q U N X O Y G X D N Z D A F F U W W T A G C U H
A M A O I X J F Y D C E C T C O P P E R I H W A F
O D G T O J M H I O D Y R I I L N W K I P C S L V
B A O W X H E T E Y Q X R U Q B J L H U O Y K O U
L M J G S K I T B Y Z F E G E M A R F D D V H E N
O C W V B O B K H T F R N D U U Q L J Z S N J O T
A H G C N Q M K O W B E A K C Q K E G Y P G L I D
F R P X U W Z G J L L P O M P M X M T R U Q W W W
Y U Z B W U T N Q L E I Y K T P S X J R O T C B Z
A Z M S X G B D T S Y W R S R O U X X W S I H C K
J M B I O E C W J B Y E E Q O Q T L A S A O L C K
G B P I N L E P R G E N S B J P X N V Q O K U D A
I R X V A O R K T W K U F B M O C C K C L A M C T
```

ANGER	BURST	CLAM	COMPETITION
CONDITION	COPPER	DESTRUCTION	DIRT
FACT	FRAME	GUITAR	HAIRCUT
HEAD	LAUGH	LOAF	MOTION
RAIL	SALT	SHAKE	SHELF
SOUP	STONE	TICKET	TOOTHBRUSH
TROUSERS			

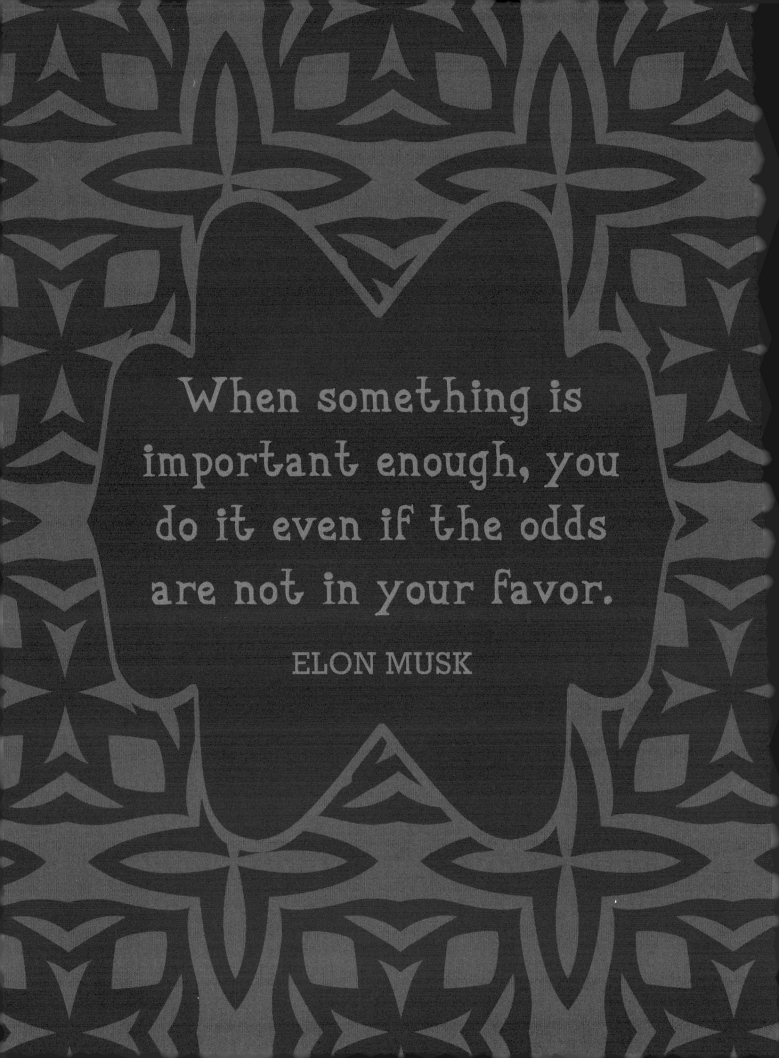

When something is important enough, you do it even if the odds are not in your favor.

ELON MUSK

```
K T F Y J P E D O X Z Y F E L W R M D U N Z K V R
C E O T G W O R U H P B D A I Q F Y W J A H V V I
D I L C O E U L U G C I O K S G R L C S M K H G R
V Y A D I L O H F T U C M U X R K X O I O K N P G
A V K P R O X R R G X R Z O B W K L C W W D N D J
I O C N E K I Z O O Y E M T D T W L H G E L P Y T
A T O E E C G X T S M K T U S A A B I C B R T O U
N D S D T K H X N W E I O R B E S O C G J E N J N
S A J I C I R C L E Q S N N E O H Y K E B G W L J
P A O U Z C H L H C N U L D Q K H Q E Q U W Y Z W
N N V Q S C N O L S R R V N L R J S N E Z H E N D
H D E Y N T U C T X E D E F Z R Q V S L W W A L L
B O Y E Q J M K N S N A E F K Y B W W O Q I X C A
G J R O N K G E T B U R P V C X J K C G P X H T Y
T W N Y F P Y T N Y Q J W T E E S S K U X P R N G
F B Q H G V F J A T W G Y I R G C X M M G S I F J
U G L A B D A A C C Z P I S A M D I L T W E E O R
J Y K C O M P E T I T I O N L Z A U R H Q O N J Z
F Y G D K M Q E Y E S P C X L H Z U J L E Z C C X
C A H M J R M Q O F P F I S E F T C O I K L X K B
T A E S S M P U U N A M G D C Q P N R A M S U W R
G A C P Z N T K O C Y A C N B V S Z C Y X U M K U
P B D P L C L O K A N Z H X M Q T K M G K F A I N
E P I O G T V M L Y I R T G X W Z T H L E M I W S
S J R L D J E E S P Z J I H I C E D C E X Z L U O
```

ADJUSTMENT	BOY	CELLAR	CHICKENS
CIRCLE	COAL	COMPETITION	FLOWER
FRICTION	GUIDE	HOLIDAY	JUDGE
LOCKET	LUNCH	MIND	REST
RICE	SEAT	SOCK	TEXTURE
TONGUE	TURN	WALL	WOMAN
WRENCH			

Opportunity does not knock, it presents itself when you beat down the door.

KYLE CHANDLER

```
K K I E D M T F H G V V D X M I O L Y Y C B S W F
F L S S I B W M P W W M C G M O J I Y A K H G G S
I A D B Z A X P C S W V I Q L H N P G W Z I X E M
G H E M H D P I Z W K A R P S S N P I L K Y N P T
D C A X R G I E J Z C N W G F P J O Z I G S V D S
A W B V F A A D Z W B G Z Z S N V Q G A E Y W I Y
I D K H T Q T A Q W K G T O T A X T V R N R U X C
T F P W V B S N Z O P Z R K K W A D W O T I W J R
E R U P R T F R B U P G H M S E O S M M G D U U G
E H O E T C A N O A Y L S E H M P R T S N D L K G
V I Q P L C W N E J O H T G I Y A Z E Z C L Q F G
E Y U C S E P K Y Q I Z G B K H A I F Z N E M B T
Q H R Y V N E Q Q N G I Z J K Z B L P K U E N M G
S X I G O Y A J S H O T I M Z S H A N D S N I H C
Q R I U P M Q R C E D G U O K N O T P E T U D V D
E R A N L M R A T D I M R O P J B N J Y V N P R N
I M T C I G T R U C K S O A J P R U I M Q G A S F
D G Q Z M M M C E N G B H A I H O A E K T W R Z D
F J A S E N A L P C N D M Z X N I T J S E O H X S
L A J Q T Y C C R L C B H I O I N V A R L T Y O H
J G O Q O V J P S P W I G Z A B P N X T Z I G N O
H D E Y P O G Z C S E F J B Q Q D M A J O O A X E
C C Y O E A U L J C B K P I O L C I O I C N D N S
A W R H V Y M F H A A S U Q X X X Q C M D G U N S
N K T M H I J V W S Z V T X G U M A I D X U A J H
```

ACT	AUNT	BOOKS	CARS
CHALK	CHIN	DRAWER	FUEL
GRAIN	GUN	HANDS	HARMONY
HEAT	JAM	MAID	MOM
PLANES	POTATO	RAILWAY	RIDDLE
SENSE	SHOES	SNAILS	TRANSPORT
TRUCKS			

Know or listen to those who know.

BALTASARGRACIAN

```
O S F R A C C O U N T M E F G T P H J T S B C M Y
D E J R M G X O S F I B B B M H Z J N H T U J S Z A
B O B M N B I T E N Y N M F Z E Q T X D Q B D B N K
D T A F C M Z R T Z E X T K L Z H T T E Q B A H W
H A W A X O C Q M V L L V M O D Z W W K Z P Y Q Y
T M T Q N W Q Y R F K R R Y H D R I D H H N T D C
H O C H J A X I R S Y Q U S F I Q A S W M X X L O
I T E W U N J O T B T Z H X N S V L W R G L V D L
N L F L R T T V Q M N R G Q T A G G J E F S C G H
S N F Y M H V M K Y Z T A S T C C V G E R I X E L
T S E T G E D X T Q M H K W J X O S C Z U Z Q R E
R N T I Z O P S N I N U P W L X N G D K F P Y Q X
U H N A O Z P A G D M N A U S O O V O H V C Z R H
M G S W T R B N A L G D H Y Y R E G N E S S A P H
E I A I I I A L C I E N A J D Y J Z Y Q G Q B G
N G A N F H O S H S J R B R T L I K K L Y N B E L
T M G Y C Y C N C F N P P O J W S L G N X S E L B
P Z N A Q K L U E I O I D S V W U K B J W O W L S
Z A E A R U S L X X T O U G V A Y D K E D S K S C
Y T A L G S V O E P V J R K J H T W G P B G J T P
E N I M I B W P X J U D V C H L U B I N J G K W A
K P E O P S A K V L W V W E S J X C W N S C T G M
Z S N W M U R E P P I Z C N O B I Z M X H C T T G
A V C K R H L K B Q K A B J K U T M N H Y B N A Q
G F L G G A A F L O O R Q T U C P R W I O A N X P
```

ACCOUNT	BELLS	BIT	DISCUSSION
EFFECT	FLOOR	HAT	INSTRUMENT
JELLYFISH	MINE	MINT	NECK
NIGHT	PASSENGER	REWARD	ROOF
SPRING	STATION	STRAW	TEACHING
THUNDER	TOMATOES	WOOD	YAK
ZIPPER			

If you're going through
hell, keep going.

WINSTON CHURCHILL

```
U L R Y M H Z I C X R D E S R Z G Y T A S A A P S
K W D G K O G U Z P N W N L R A E W R E D N U W O
Y S U P U L U S V U J C W E T I O B L E D B E E Z
A R E S S I D T O J K R N Y Z T G W Q V F A S J E
R A O D I D Q R H P T F C B Z Z A V G U T R P I E
Q Q W T G A G V A B S M D U N A S B O E X S F Q R
R A W K I Y M O U O R E T N U L N V R F D N M X F
U A H J P R C N N Z N V B Y Z R F A S D W E N H F
O C V G A L R B C W X W E N R N K Q A Q U K Q N U
E T A Y C D W E U W I E K E L K O R N O F C O S Y
O I H S Y H M D T I R Q T V G W J Q Y Q G I K E W
L E J P W N A S U V J H J I S A F P X R N H I W T
Y H H O M K E I O C G X A Y U L T X H W D C Z M Y
C S Q U D C F S R U L Y S X N K N K R V V Y Y S F
S C I S S O R S A C X D H G N K J J B L L Y D Y A
I W K C X R E D T Q U Q E X H C R T F H J E P F N
E U S G O C M Z K O U T E K R G N B E V A K Z W S
A F I X A W T Z X E A X T T E X R Q H N E H B B E
N B I S D N H C E M E F V M R O W A R U F Z A O U
O E B I R T H N H S M H W X N O J Q V L M M X R O
Z L L G R K N O T U P E T S O H F N B C J R D U U
G D D S C N Y T B Y J N D Q V C M R E P M E T Q Q
M E C O U F Y Q V K N A K C J T N I T M B A H G W
Q E D S T J F S R D D M I R V V P O J P E A M B R
E N J Y V P O U B W I H K Q Y X M U L U Z G Q W A
```

BATTLE	BIRTH	CHICKENS	DAD
DAUGHTER	DESK	DOCK	DUCK
GROUND	HAIRCUT	HOLIDAY	MOUTH
NEEDLE	PETS	QUEEN	ROCK
SCISSORS	SHEET	SWEATER	TEMPER
TERRITORY	UNDERWEAR	WALK	WAR
WORM			

You can't build a
reputation on what
you are going to do.

HENRY FORD

```
G B P O I N T M R A F R O T Z P O M X V E G A H U
J N R P M Y Y Y U H J E W X G T Z R Z S S R N I F B
M W I O T I I R J N U J P B N E A K A O N T E A Q
J R S D T N E D Y F K W S D Z D A Y W K P W I W S
J I O V A H N R N C Q R R I T W X T H U W S Z W R
K P D N C E E E V U P Q K R N U H J U T B T U S K
T I V F C J R R I W W G R M N W L J M O J Y A D
P C N A E W V L R W F S I E P S Y R L L A D G I Y
B K B F A O T V O D E L E T T E R S U P R E A W J
V T S H A U D T R T K L I N T F C R I A D N Z D M
S K I N P C M S I S A J A L U Z D H B F C M O M N
L E N N A H C F U L C P W L G D K X P T E M O W E
J T C I T Q Z G R B N L U T U E R N O E E I Q Q N
W S Q Y T E G N V C A F N Y P E D H A R V A V O V
N B H C N E K U Q L P A K L U U P T R T T G N I V
S R I D S X L R N T R E M M A H T A X H O J W T Z
Z Q T T I J S C A D U P K E L J E E E O Y X N T I
R U I H X P D C Y M B S K O F V K R N U Y D E J E
N O O T I P Q H E Y A P P U F B M B I G Q V F I G
N M F I I T U M G Y T M V N Z Y K M W H I O R O G
S A B R D J U L J S A D E R I H A M B T Q N W O N
L T M W Y G H C U O M F D O X I H Q I O O I T T O
V M R Z J F V S F A X C U K D C Y S G C M Z E J G
K X I A I U F G L K I R B P B U V A R N H Y O I R
R R H E W F D C V D U J K W S O J Q N A N U L E J
```

AFTERTHOUGHT	BOARD	BREATH	BROTHER
CHANNEL	CLAM	DAD	EGGNOG
FARM	GROWTH	HAMMER	HYDRANT
LETTERS	MARKET	PANCAKE	POINT
QUILT	READING	RHYTHM	SKIN
STRAW	SUGGESTION	TANK	TOY
WINE			

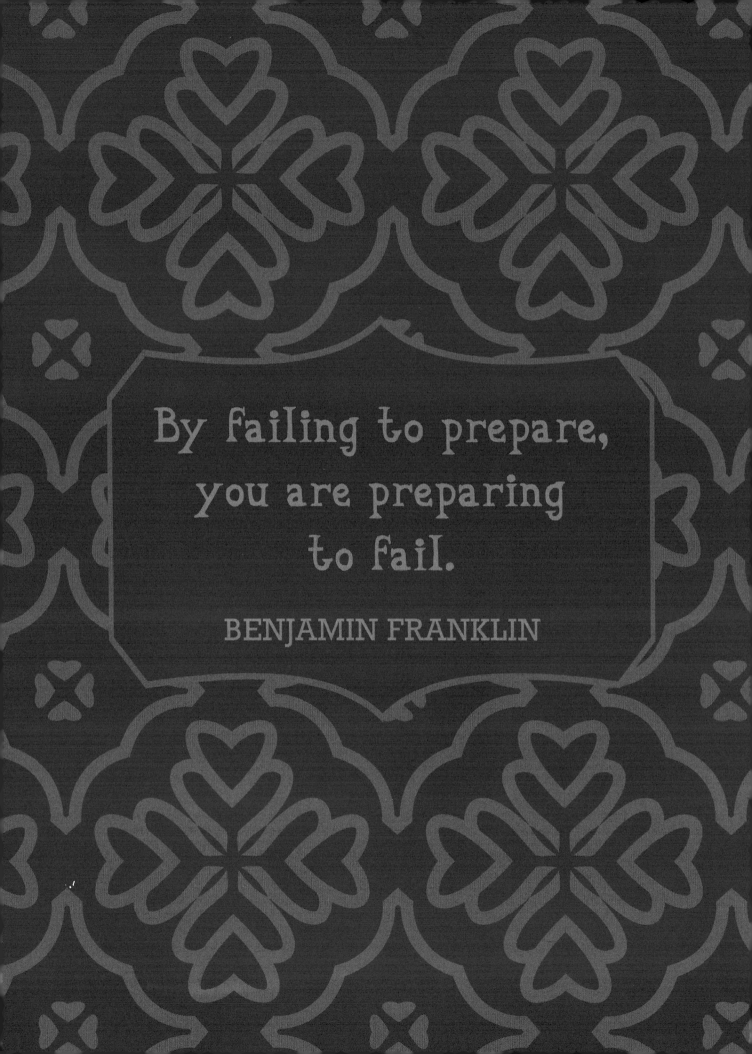

By failing to prepare,
you are preparing
to fail.

BENJAMIN FRANKLIN

```
L T G U E N M D E S P O Y S D R S A G W Y E I U N
H A W Z C S R W G P L T T T O B W O H U S W D Z I
W O E N U V P O E K A H S R L Y V T U O O X T S A
A B X M T U E O C S T H X U L I A C P S I S T E R
O V H O T L Q P K P E O S C S E S R I L M S Y T D
J D Z B E G D A B R O E J T D T U X A Q T Q V I I
F L T V L O T Y W E U P I U C P E T S G C A B B G
Z C F F G E G J L D Q A N R Q O E L X U N N T H H
S V G W V H R K B I E U D E S Z F M G X V S Q V I
W Q U U R V T Q Z S K O S J Q C S U F T U Y E C K
H S X Q V S I J W A I B D I I Q B D L J D Y Z W P
G O V E R N M E N T I G N I K C O T S K Y F Q D Z
P H U J I M I O N W Q N K Y C P V Z E E A Z S A Y
E F G F Q J L C U Z P E S M E F X E Z Y N O N Y R
T E S O A B L N T M O G E T Q D W U N L R O E P V
H N F E V E D O S W O E P I R E T I B B E G P X X
N P R R I E F Y V I C C F W N U P P N R G O F B X
O J D I R K Q K L M Q I O N A X M W Y U P A E R Q
W R D W L W N D C K X U C A N D G E H T Q I O P L
H P E V R V K A R D P E I E A C P V N U B I W Y W
D A I W G L F N T Q S B G L F D N V X T D O W V S
R M K C Z N K Y V W A I F C T E P L Q K Q A C N I
K S K X K H F P I G K M A Z Q Q K U Q L T P K I D
R B X R D L M L Z A Y E Y A P M D S H E E P Y I B
O M J A P C E S P G G I A S V T M F R W F O W N O
```

BITE	DEATH	DOLLS	DRAIN
GOVERNMENT	INSTRUMENT	LETTUCE	MEAL
PICKLE	PIG	PLATE	POPCORN
PURPOSE	QUILT	SHAKE	SHAPE
SHEEP	SIDE	SISTER	SKATE
STOCKING	STRUCTURE	UNDERWEAR	WATER
WEEK			

Be Impeccable With Your Word. Speak with integrity. Say only what you mean. Avoid using the word to speak against yourself or to gossip about others. Use the power of your word in the direction of truth and love.

DON MIGUEL RUIZ

```
S L A E M G Y T E D U H R F H V A Y J J F J D A Q
F T R H J Q R S R U V O E F T Q H B A H X J J Q A
T H R C E M Z R V A V B A W N F E G M D A M D Q M
W A H I M N Z U M K T O S G F R N A I F H N O I P
P S Z A N K O B B B L E Z S H O L E G H J T O B C
L Z T E A G A T Q I I O S T P W P E M D D O R R X
G C C J Y W I X S Y N I C L A L B X U P C L R I E
H G R A B U S F S L C C H E T D F Y I O Q P X P B
W J P O Y N G L Z O R Y I V N R C S M Z F S F V Z
W U A Q G E R U S A E L P P I W O K G B M I H P G
A G V K G U Z E U C A R Q C M A B M G T G C H B U
Y E P F Z I H T X N S J T S L T W C P A N Q Y X X
H T R O N T J F F M E I V N T T E P T L I K M T U
Q G E O Q Q X V P M O Q K W Y R B D L K D B T P G
V W Z W R J T H R N S W R M M V C E I N A F T T G
S Z X U E M Z B J E G I K N Z E F S R E E P O W Q
T Y W V I H R U R F P C S Z E E T H O A R Z P H P
G B V X X E R O Q W A L I Z H Y T A N B I M Q G Q
B M D P N Q L A C E W R I G X Y T R L Y K V D S R
K J I T J O F A O E X M H P X V S V X G L O Y K
M H R K C L V F T L H A L F V I A G Q N C H T I G
G A C H E E S E G L A S S D A M G F I I S C G D R
P F A I S L Q B F C E Z Y O L N O M K X A K B B N
I D F D Q D A Q P E A I S L Z O P O E Z D O R I W
K A V A G E P D S M S W M H H R F Y S W R D Y Z B
```

BIRTHDAY	BURST	CAVE	CHEESE
COBWEB	COLOR	FOLD	FRICTION
GLASS	HOLE	INCREASE	IRON
LOAF	MATCH	MEAL	METAL
MINT	NORTH	PARTNER	PLEASURE
RATE	READING	STONE	STRING
TOP			

No bird soars too
high if he soars with
his own wings.

WILLIAM BLAKE

```
R P P R A H Y O O K Y B W I S E I B B O H T C N K
C X Y V D T T K J Z G G X G X Y G M X C K H W G X
Z M S B V L M M O M R U E A W C Z U N M Z M J I I
Y Q Q J E A C M J N W X G Z Q O P Z S I R E H M S
Z F J R R E C S H Y Q J A X G G J H J P Q R Q E P
I Q B R T H L V D D P L R H K I Z P F Z A S C H R
V E L V I B O O K O R S T J W A L T S T X R T U P
G D N Y S W V Y H G H H P N K Z X V T E E T J H E
Z W E P E C U P Y S V R M Y A B V R V T A C Q S V
S W Z D M S R O Z A M O F N G H E P A O R M Z M D
V Y A F E K T O H W R Q B A A G O R F G L E T I H
U V R Y N B Y T W A R E E R N T Y R F M N R V C G
E H S O T Y N K N D E M G I Z F Y M S B O F V O S
R Q G T T E A G R P S P F A S T E A M E R A I O L
I M X D M I E D B V P I B Z Y L I A N S T C U N Q
F A O U Y S R I N T E R E S T O G I S X H N R K Y
Z S G U F E N R T K C T P J F T V O Z H D O D A Y
Q R N S N J D F E M T D Z H M Q L X P C R Y M M
A I L K K T Q I S T V E R U T I N R U F R U A Y S
Q H I V O V A Y P O G X I Z I U P K Q Q C E D Z T
J U B B F E C I O D J A G U L W Y I M G P F H E D
Z Z K E F U A S N W I B O H E G W B E M Y V T B S
X E N F B A I W T B Y X M R Y R G S F U A Y R C T
S M T F F P Z E Q R C A Y P D V V B K E T Q I Z X
G K Z G O P J J J V U W A C A Q Q N Z E Y X B A W
```

ADVERTISEMENT	ARGUMENT	BIRTHDAY	BOOK
CORN	CROW	DOGS	FINGER
FIRE	FURNITURE	HEALTH	HOBBIES
HORSE	INTEREST	LOVE	MOUNTAIN
NORTH	ORANGES	RESPECT	SECRETARY
SNAIL	SOUND	STEAM	TERRITORY
VOYAGE			

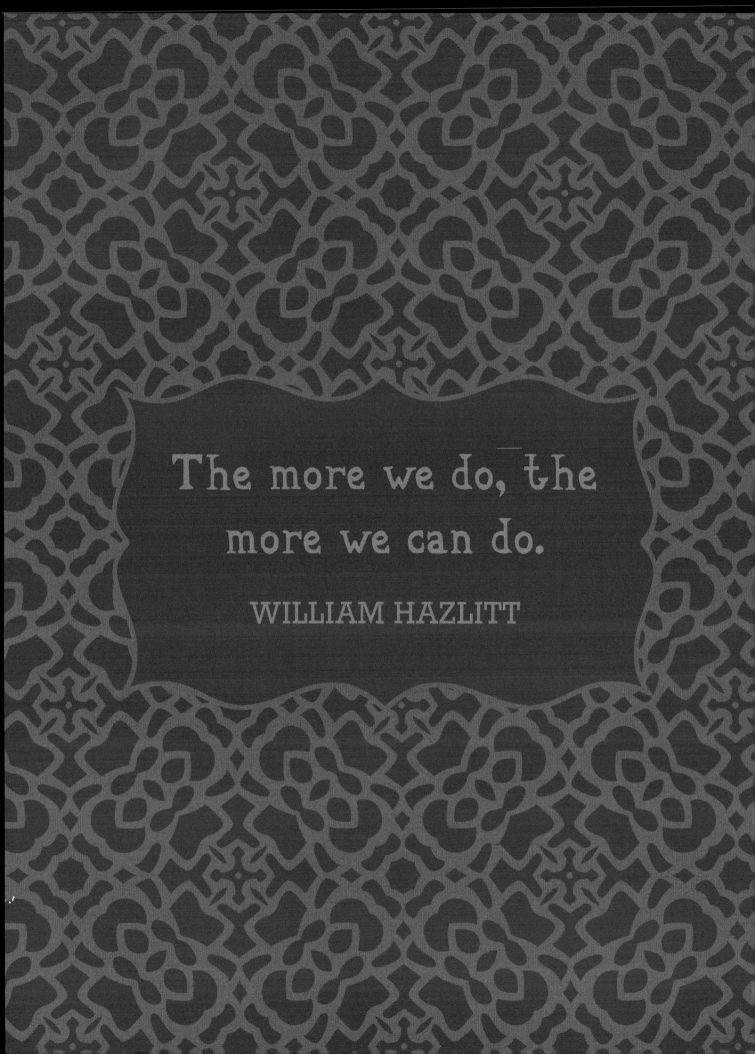

The more we do, the
more we can do.

WILLIAM HAZLITT

```
V K T Y B M E N W P W T Q B L A D R E A C T I O N
O N N R L U O R W W N M J L C A E K V T N E Z D A
L O E O P A S H W O O T G C T T S V I Y G O V N O
C T M T X H Z I I Y P U O C Z P I R Y E X I I C K
A N T S E P A G N S E U O O I K R A R N I U E B W
N X A I T Q I N R E N G E N O B E G A G R Z M D H
O M E H A L Q E X T S P D S C E N T G N S W O N F
G B R A E R D B B D K S A U J A O Q M E Y Y H O N
J T T R G I L U F Z F Z J L J D H I G C M V T V K
V K A Q P C R C V H W N Z Z P T R F Z Y J E H K Y
R S I S C D K O T Z U D C W O S V E A P E F O G R
A I Y T C L B V H P P K H T T F N C D H X Y B S U
R A Q X T S X S K Z N K Y Q V Y H E S N Y V L U H
L C R T N Y Y O S Y A Q R R G B P P R M U G Y V Q
K B A A C G O Y U M A F F O C M B J T O C H U E I
Y L I C S R E W O L F Y X R I S E Q L O G X T P S
K L H L T A K L P E M X D H Q V J P B B R A Y V
S D R Z X U R X Y J L I S G R H C M X I J C G A K
S D D V H F S X U X J Q F C H K O J Y I H S O E V
B S S D A R V E C C R Q C J I H K U I Q L R B S Q
C V I W P H K S J G X D K I M L T W G E I T V R U
V M H X D A U I P Q Y A D J Z N Z A S M A L E Y
L T H R O N E K X E A C W M C E U O P V N F C V C
E U G N O T I S A A M I D Z Z W L H M L A W A F S
F X B B W J R M I W C Q D P Q X W A D P P S K T K
```

ACCOUNT	BONE	BUSINESS	CACTUS
DESIRE	FLOWERS	HISTORY	JUDGE
KITTY	KNOT	MIND	REACTION
RELIGION	SCENT	SHEET	SNAILS
SPIDERS	TALK	THRONE	THUNDER
TONGUE	TOP	TREATMENT	VERSE
VOLCANO			

The first step
toward success is
taken when you refuse
to be a captive of the
environment in which
you first find yourself.

MARK CAINE

C C E R C C C D S S U T J S X N T B W S F V C M T
M X I A E P Y I D W B N V C O K K X O E O X L I I
C R B T R F D E D L A Q D I Q S T R I N G N B P G
C L W R S E F B Y I X E T E N I A R T X N C G V E
E L Q W A U O H A G O N G R V D Q X B B J O S R
S R G A Y M L O C T M E A T N W E F H Z T A L U R
E I L J N M O P T E M Y H X H F E I P J E H J H E
A K T N E R R U C D V E F H U S N A H Z S G X M A
P K F F L D F U H C X S L O T V G T R V X H A Y L
P W L F X N L D N S E Y C T L F E P X F N L Z U M
R A E Q O O J B O V L I N L T Q I A P K F E H X S
O K V S V R T Z S J C E K S A X E Z H L X U P O P
V O E Z R P P O H Y M H R V X M X E K X G O V A X
A O L R J T X O K P U O N B Q Z P F N I R K Z J R
L L L G B N E I O C X A H D F Y D A Q K B U K W G
R A T S Q A S L O I K H B O S V K U L E Q L V H I
R J H V A X E Z F W W C A Y A L W F L D T B E U J
T B Q L A V A R A Q L X A P T J P L I L B R U B M
W C V G E K G K X P D O G K U S L C B D X P B V C
Q M H D Q H S Y U A L J Y M I D S C A U X L N X Y
F P S Q F Q Q X T Q J Y C I A S N Z R G R O U P O
E V V Y M L Q W U R A A B I Z K A Z O N P V N E G
E T B B R R H Q I V L L L B M O U L I F G Y M E N
A U V D Q R X S M P H O G N Z I P X Q A X Y W K O
T K K K D U V L L C G O V E R N M E N T N S S F O

APPROVAL	BELL	CABLE	CLAM
CURRENT	DETAIL	DEVELOPMENT	EYES
FLAME	GOVERNMENT	GROUP	KNEE
LEVEL	LOOK	MOTION	OFFER
PLASTIC	SIDEWALK	SON	SONGS
STAR	STRING	TIGER	TRAIN
UNDERWEAR			

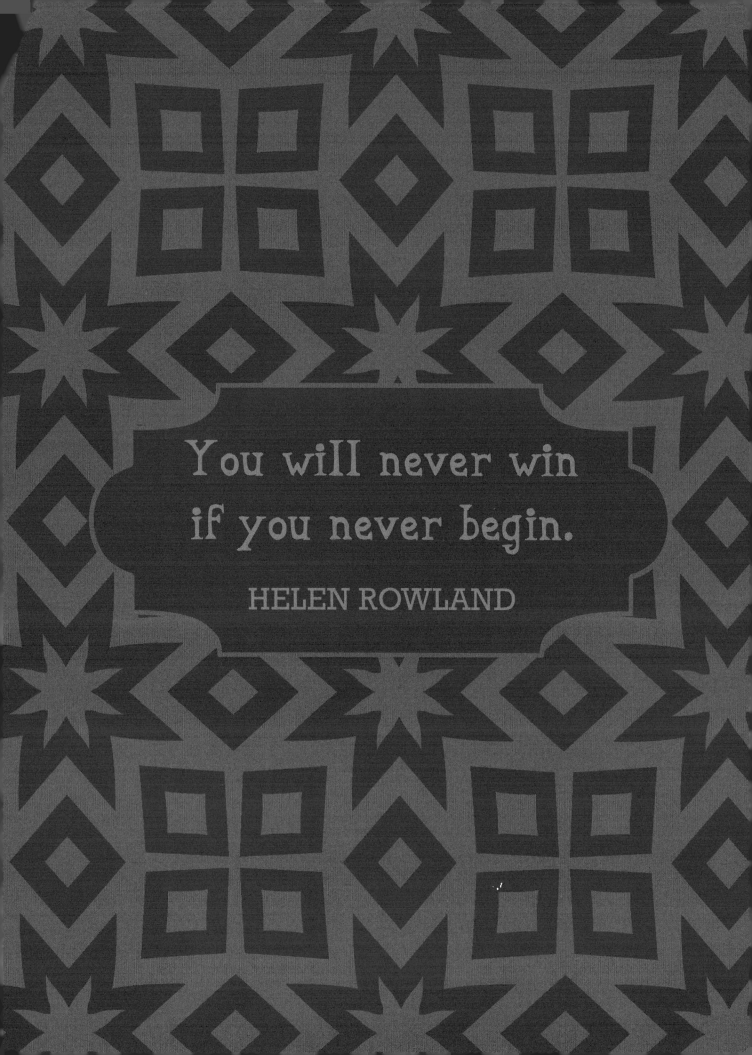

You will never win
if you never begin.

HELEN ROWLAND

```
B L T V K B I H P Y H D N V Z H I A W P C I E F K
P I G E Q Z X O Z O R E A V H R U O F Q R C T S E
F S K Y T P E L F S S Q J U G M R G Z I Q W B S E
R U C F F L P T N S J Q J C G C S L X Z A B M C M
J R M R Y R J N K X K L O S I H S Z I N P H M G K
F R R B O D N K G E M A H S Y R T H P M H T D F G
B N D S M S V W T H I U S E A R C E F T X B R Q L
I A M M G V C J T K S Z Q C M H T Y R E F K Y C G
A M D J C D X P Y E H T L U J X W A G A I C U T Y
Z L I G N E R W Y P L A N T A T I O N C S E M B O
E E I E E O P I G S B R Q C W O I L Z H H N G K E
I L I A P U I D I N C U O Z X K S Z D I N Q J D I
Y R C E R M R Z D K R Z C E N E E P R N C E W P R
F G R R S B E A S R A T X C V L N X N G V O V W M
M T N H I N W O T N W O D H O U S E S G F D R M R
Y G C I B C C X O P M A C M K F E V R B R R W N A
X X C B W Z O S Q C R Z C F B W O A T Y Y H Y R Z
Q I U L J F C Q K F V S U M D N I F U R W S E F X
V B J X T X P L V Q O F R A F N I L Q S B U K Y U
Z T I K C T M M K L C B Q Z S O K J X I G I N O R
J E A T Q F O I P O B H Q X V B O T T E V N O C D
W T P L Q V L W W G G H C F S K T O W K K R D P K
F O C Y R P T B M Z E A B F E H Q Q Q B D Y O D S
Z N J Y S Z Q S Z U T B E Q A U O B D T A W O I B
R M T M N V A X U R V W G S U X M E C C Q V F T C
```

BADGE	CAMP	CARS	CIRCLE
CORN	CROW	DAUGHTER	DONKEY
DOWNTOWN	FISH	FRIEND	GRAIN
HOUSES	NECK	NOTE	PIG
PIGS	PLANTATION	PROPERTY	RAIL
SENSE	SHAME	SIZE	TEACHING
WING			

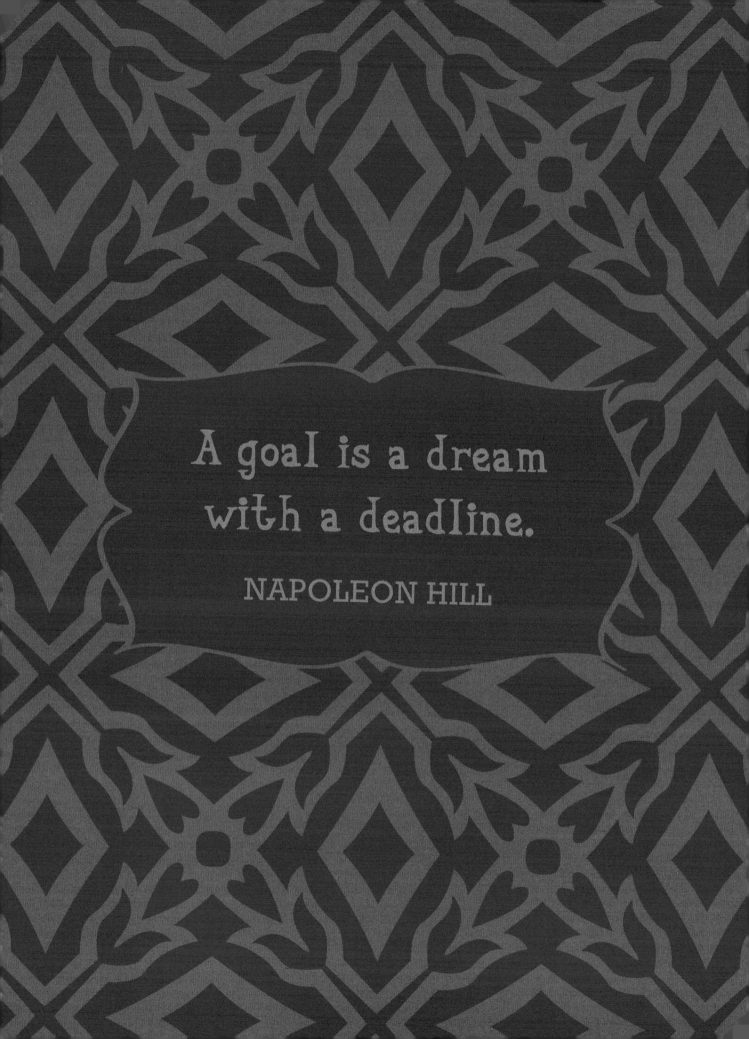

A goal is a dream
with a deadline.

NAPOLEON HILL

```
H C F S L K H C V T O R G K A P P A R A T U S H V
A S X R P E V F N X V T Q F H L R H S G K Y S T M
D Z P H A X J S G O Y M X P V L T G A I Y C J D U
J M O L I O X U O H I Q Z D N T H M B E N O D G H
M T T Q N M D L R N Y T H N O R H J I S R Y Y E
P H G Y U N S S N I F R A E H E O B A O E N A E A
T D X N O I T A C U D E M L H X N E W B L S M P N
K E U T D X C Z D F V U K T E L E V E L E S O Y B
Z O S E V O J K J E R B O I V R A Y O X C A U Y X
C R W U B S C H S T L R M S F N K Q Z X T R I W O
Q Z S I Y B T T S A B J O Y J S V I A I I B J S B
W F F S R O W N O S N N S U F F S L J Y O S H T M
C K T W L E I G I R G D Y N Y O N I C G N R I R C
S T A C D P P K R Z J J H H O U B O V R P Q L S Y
Y I H X O F S Q O R N E E D X R Q Z K E O K A K A
K W T W W W A M C Z E G G S O J D Z M O W E S V W
W V R T E F F E C T O V U F M O N I H X G G U B O
Z D X M W Q V L Z M G B I T V X C Z V Y E A M L D
O N Z U J H J Z W O S J O R R E A O E G C I O O B
E Z N K C E N W T T L U G N X L J C N U X R X B K
U J L G P E P I A W A O L V K S D L X N Z R L M E
D Z D T B E S N R P D G Z E E E L I F Z O A M M G
V Z O P H H C N E O R H J Q T O O K O O H C H A I
T T F E I E U E K N X B E B Y H V J S D E D G I K
E A H W T N I K S F Z S H J B A Z R L F P P M U U
```

APPARATUS	BRASS	BROTHER	CARRIAGE
CLOTH	CORN	DOCTOR	EDUCATION
EFFECT	HEALTH	INSTRUMENT	LEVEL
NECK	NEED	OIL	QUICKSAND
RELATION	RIVER	SELECTION	SKY
SONG	SUBSTANCE	THRONE	USE
WIRE			

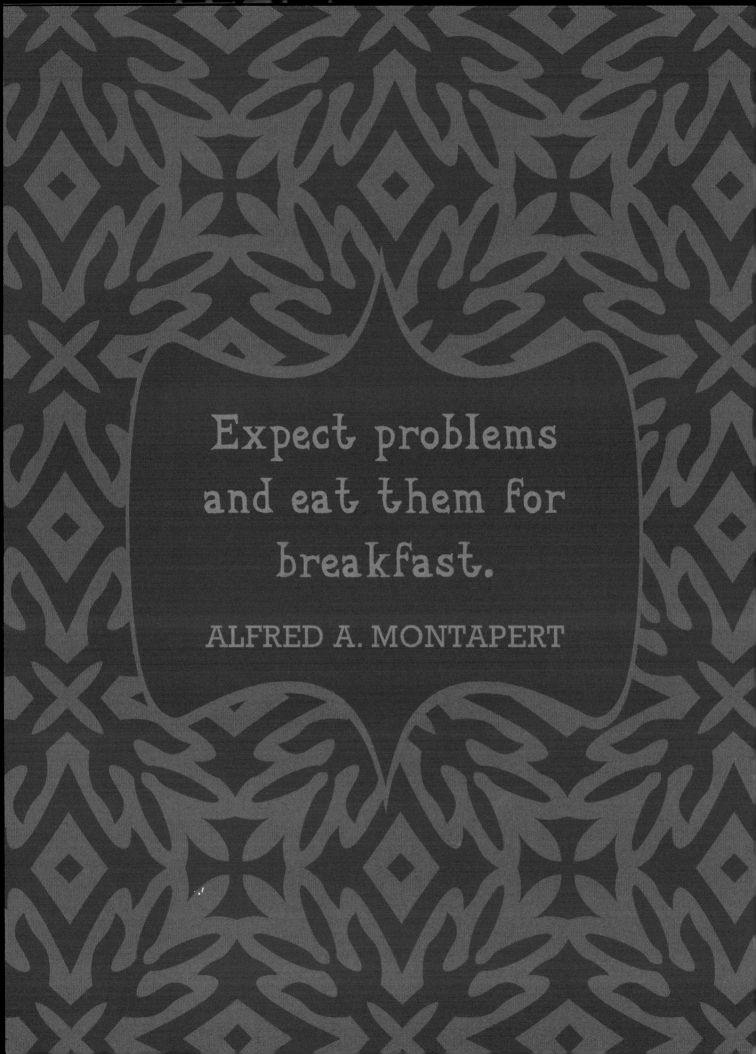

Expect problems
and eat them for
breakfast.

ALFRED A. MONTAPERT

```
K N I F E E H B O O R D Y C U P H D A Z G A R Z S
T F L V Y N A Z L I Z T H E G T Q R P Q Q Y K S E
P P G C X S I B N T E D S C D K C A P E S M Y N G
N Z C I E K O G W I Y I C W J A U O A J C V E A N
Y E U B S S Q S C W H I S T L E H B R I S Y K Y A
J X A A U X H O C X B J Z S K L Q S A L L E M S R
W L K R N U S L T M D L U M Z P R B T W M U X F O
L O D Z S C G F I M E M S A Q G E P U L M Y D L T
H T R H X U F H U Z M D M J B F W T S S F J B R D
N Z I K V B R Y C E V D W B Y Z Z A J T Q E O M Y
F R Y A G S I N E U A C O P X P V R D V R Y L Y Q
T I N B L P V E M G E M G C P M E R X Z B X M T P
G W P J D V Y V I M W G D E B W T R G Q C I T K J
F H N V R N R U W A B R U A I K O P R N J H T D K
P O R M U E A L S U H O Z D R H H R Q O A Z U R I
S R E S U O R T Z A U Y L Y J O Y L A F R G E A R
I A R Q Z R D O Z A L I F D E R S E O A B M H S E
Z L H K U Y H E B H G P Y B C S E S Y Q O H C R F
H N N N B O M S O A B I K U A A M E W J J O M N J
R A H E E Z G X I X L W Y R W T T Y D W G K V X G
F A V J M Y F S E Y K O B Z U T Z L H A E B D N U
E Z S J F D W H P S Z M O F T H N S U R W B R Y O
S W D A M H A G M I A E D E M C J T N Q L O S Y U
R Z S A P O Z P A O S N Y A K P F O D M R G I D I
Y Q H W N L R T D G J G A O A Z V P G M C K D J C
```

APPARATUS	BASEBALL	BOARD	BRASS
CAT	DEER	ERROR	KNIFE
LABORER	ORANGES	RING	SHADE
SHIRT	SMELL	SOAP	SOCIETY
SOFA	STOP	SUN	SWIM
TROUSERS	WHISTLE	WOMEN	WORK
YAK			

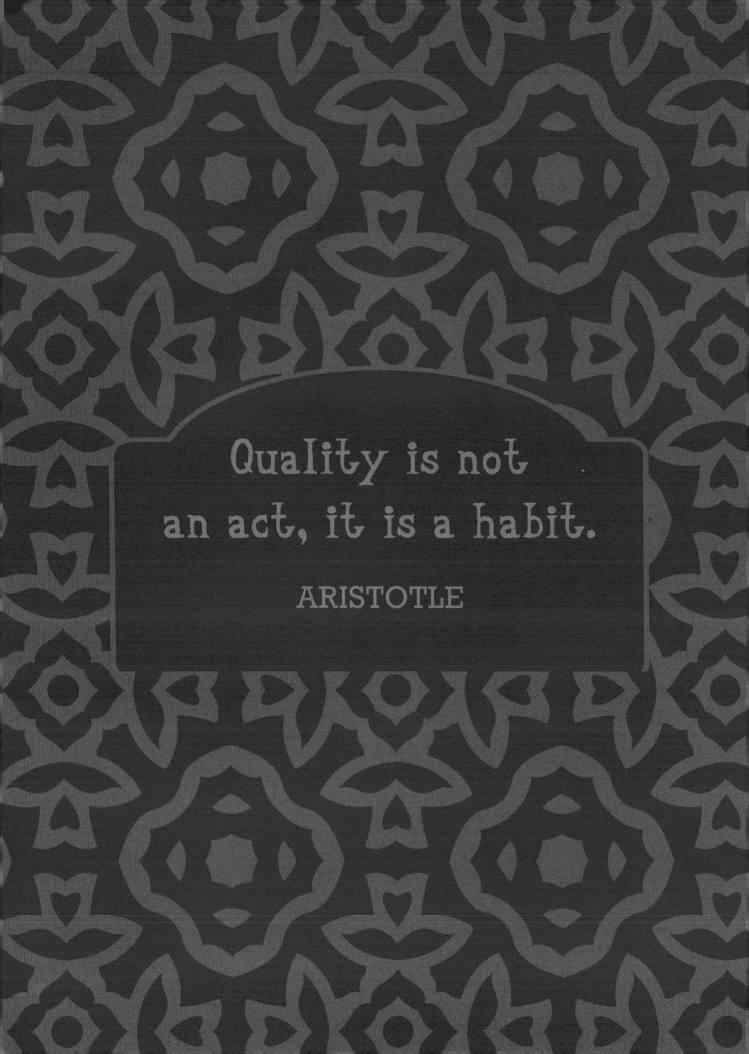

Quality is not
an act, it is a habit.

ARISTOTLE

```
R T I F H K P P A Y M E N T V U F J M K Y U R Q C
E E B V N A N W K B H K I U O Z Y E D I D K G W Y
V Y P I C E K I O S R F E X N E S V O N A M G Y T
O O R R X H W I R I E B F V G Z D H R X F T P M N
R F P Q E T L B N D Y K E A S X B U L C Q B X X J
B M M W B S I V C B D S T F S F A Z R Y D E Y X H
R K Q Y F R E N Q O X D A B G W X T I N P E T H N
X G X K K N T N U O W N R S U N I N H H Z Y B A Z
M Z X H T P P K T T I K T M L B Y S R V K B Q F W
R G T I F G G R C A V Z B F P M N G R B R L I T Z
V A O J X I L S G A T I Q H Y Q U V P K J M Q J I
R N D J V Q M H K F G I V M E X H X P S C G I G P
J C J N A Q K C B D M F V Q Y Z O O O Y H Q X Q P
L B L G E Z N O O S V Q J E D N W O T N W O D F E
J S K O Q L Q L E Z P D C V D Y Z E U R H I I G R
G M A Y C A A I R O A K I U I B G W W B Q T K Y U
C A J B D K R C T W S K L T S X T D N K G C O R L
Z B D O Y I E A F E Q C P V C N J S X K T T L C B
R D N U A Z T T D J O Z V I O C Q J O G J E C J X
A N R F L O P X C O F V O L V O Z V U S U L K H D
N E O K P F K J K O S D R S E N A L P M J G Y D J
L Z C I G M W Z L N A T Q V R X D U S N P V K A I
F X P V J H O P E D J E M V M H W K S C D B W P
A C O O B D W N W C Y K C V T O E E G P Q O C H I
M Q P X V G T N B D K Y F T Q J V M Z V F M X M B
```

BOOT	CALENDAR	CAP	CLUB
COOK	DESK	DISCOVERY	DOWNTOWN
DRINK	FAIRIES	HOPE	INVENTION
JUMP	LOCKET	PAYMENT	PLANES
PLAY	POPCORN	POTATO	RATE
REPRESENTATIVE	SUN	TOE	UNIT
ZIPPER			

If you don't design your own life plan, chances are you'll fall into someone else's plan. And guess what they have planned for you? Not much.

JIM ROHN

```
E K A H S N A N B B P L O S K Y R W X X T Y F N J
P C T E V O N C O D B K M L Y M G E S T M R N U M
F B L W S I Q M H N R O J V G M F S L H M O A N Y
W H E R U T C I P I N H K X L K S I T H I E Q C E
K T M Y V S S E E F E A X X J R U Y Q S C H E L D
X A D J G E G A L G C V C N E Q H U C A T T L E G
N I H C F G H U W T X K E U V R E J H C R Y D A S
P B W N L I H F N F I Q M R G S X D H H F F X C N
B F A Q O D T R C C H T N B T W N N J E I A P Q G
R Z W R F F X M B W T A K I B S I W P R V J Z O A
S I U C R C E H S U G A O V A T T L X R R V H O J
B S C I N A P V K W B N A I E S L R I I E E B N M
A I Z K W R M A V X Y H L F I K H R A E I K R A B
L A Z B A S U U E F G R X F B I G O C S D B O E A
S L S X L Y J G G V C Q L I T M P Z K R U J Y C Q
R Y A Z M N I A T Q K W E Q S F T L D O Z D A O I
R H F B H O L N D F M Y N S Q Y M J G N N N E K L Z
G Z T J T B U S I N E S S N C U C A T O O U G N E
Q V P Q G E I J V M M S V S M Z J T I B R Y T Q K
M D W Z E B K W M E R B F F M Q J S F F S T E A M
Q H A K M P K S A E G Z E U F B I G B T A X E C U
M E A L D K F R A L T J G D O V C D O R Z A Y Q A
G M P R E P U R Q B L A V K I Z I V F F Z K I F F
I S Q M F J H X W P B M L D E Q Q Y I O I Q Z
M F J Y Q B C F S M I K S V E F K O U H S M Z G L
```

ACHIEVER	BASKETBALL	BUSINESS	CANNON
CARS	CATTLE	CHERRIES	CHIN
DIGESTION	DIVISION	METAL	OCEAN
PICTURE	QUESTION	QUILT	RHYTHM
SAIL	SHAKE	STOVE	TEAM
THEORY	TITLE	UNCLE	WALL
YAK			

Decide what
you want, decide
what you are willing
to exchange for
it. Establish your
priorities and
go to work.

H. L. HUNT

```
G F I M W M N I A V D U D E M A E T P Y P M E B O
T N N H R T H F F P J I M S J P A M T I Z O F G L
R O S F T O S Q L Q S P R E H C A E Z F L W W O H
V D T Z U A T F P C B M O E J T G Z G N U I A R E
J Y R C S U B S U V D Q U G S O A R Z G Z N I X C
V X U K F Q E S N O C E C I I S D S O N D T A C K
Q L M K P H S F N I S U T A R A P P A U P E M O A
M G E C O I B E P I A T Y J L W P Q H W N R O W O
K M N Z O F L O O R N R H E K T M B O H I D V O C
N D T N U S D I Q M I K L J G E Q Q C A I I E C C
Z Y L O K J M U Y K M P I C G D K X D V I I L M A
T U S S O X W X K T T J S P Y V S U D H J F B B Q
Q F Y I Q C P Q L W B I L T T D J G S F M E T C A
C H R L E H C O X H P H N C Y B J O U G D K W J
Y S B E P W N G G J Q G R R E H G C B M H I A C I
J R D R L A C E O T A U O L P E S T P K M O L X V
N W P R A L L O C G N V F F K J D K Y P G H R A M
H B H I G R A C C U A U M P S J S H R L U L L S T
I T G U Q D N F G L O P O L B A Z A B Q K I S J E
S I H Q D I U W F Q V D B M M A N E O Q C J S K O
Z D M S Z Q U A E H N U E M A K X Q W H M N L O Q
P Y I D K Y E C A V N H R I B X R W W K N O T J W
P F W B S Q Q E I F F R I E N D Z F H L O L V P Z
L B S J L X P P T N L D Z Q Z E I E T K V M S I U
A D L P E C I V Z E O U L B O H Z V F P J W U A Q
```

AMOUNT	APPARATUS	BATH	COLLAR
COW	DISCUSSION	FLAVOR	FLOOR
FRIEND	GEESE	GROUND	HORSE
INK	INSTRUMENT	LACE	LOOK
MOVE	PIZZAS	RAINSTORM	SQUIRREL
STAMP	SWIM	TEAM	WINTER
ZINC			

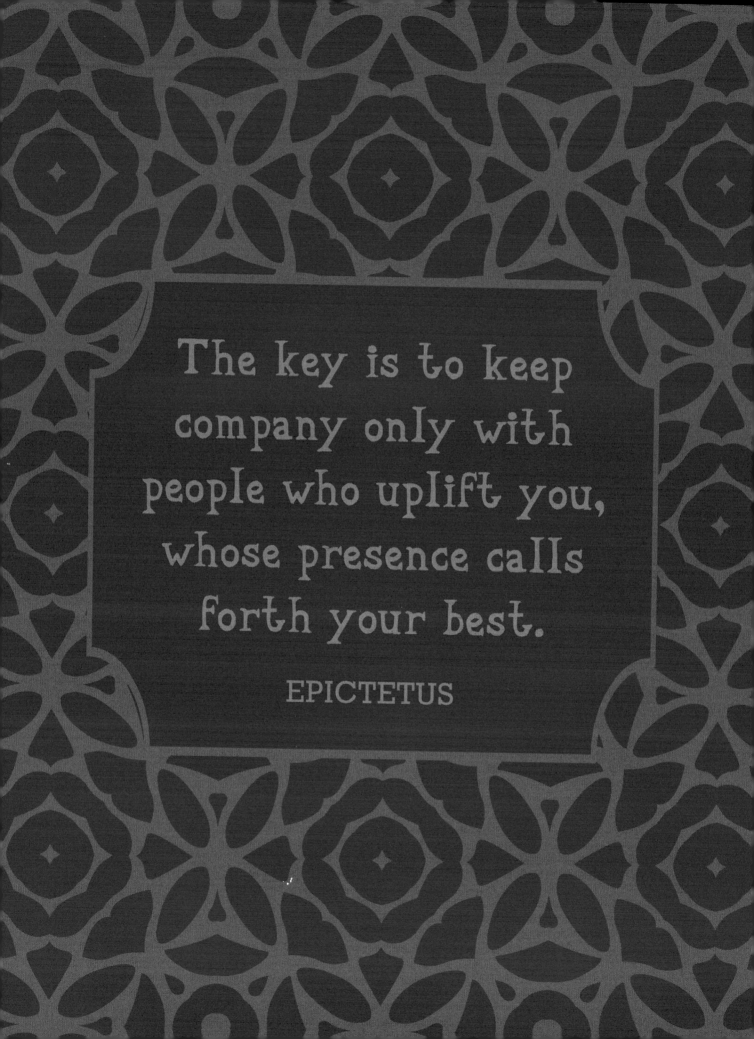

The key is to keep company only with people who uplift you, whose presence calls forth your best.

EPICTETUS

```
T H M P K O K F Q L E V B V H C P O A T F C K P W
Y X G R S G O W U J I L D O O G I Z H A R M L T X
A B A U N K K P Z R O Q A M M D H D M Y Q Z K D L
Q P V X A J H X G J N L U C E E T T I C K E T O H
S E A R T H Q U A K E I T I S T R F U U N I J F P
X E H R G O X R Y R H T S D B E B J D R S C F Y
E M D D Z H K K G N O R B U H N V Q K R L T X I D
I O E G L D U R X U C L N I R D L M A D Y Q J C U
Y W Y I X S P E G E O I K G P E I N F U L F O E P
T F E J U E D H Y V W Q V F N X S D T O A S M G O
T Z G B B T T R F I Q A O R Z I H B E R W R O W G
O C E I X E U W Y Z U R G E F D R Q U O B E G C G
R T K A J V B A C V T Y I I A G E P G I V H K E L
J E U L Q V N G M N W J B J I S R A S Z Q I W I Z
L N W F I C J D P P G M R A D N K B T X V R X K K
Y V D Z I U E H C O B O N P M A R T B H E E Q Z M
G D N Z L S J R C E G T V M Q G U B U I G A E E R
T C U X E V J F L R S Y H G G H H K L D D D U D
Z S S V Y X F X I F V N L P S N I A R T U I S P M
U V E P V Z V G F V O H B I H X L X S G J N V R Z
E D E P U F Z O H S G O Y C Z W N W K O Y G Q F A
I B Z O L T F A I O C G Y Y T D Y J Q H O Q R T L
P K F V N T N O C W N I N K T L W J C V U V I S S
D R I B C Q P O I I R A L Q B V E R S E E J Z T V
E N N A T C U T K J O Z A X F L R V U W D S Y N G
```

ACT	ARM	BIKE	BIRD
DEATH	EARTHQUAKE	FURNITURE	GIANTS
HOME	JUDGE	LIQUID	OFFICE
PEST	PIE	POISON	READING
SCALE	SILVER	SPARK	SPRING
THOUGHT	TICKET	TRAINS	TRAMP
VERSE			

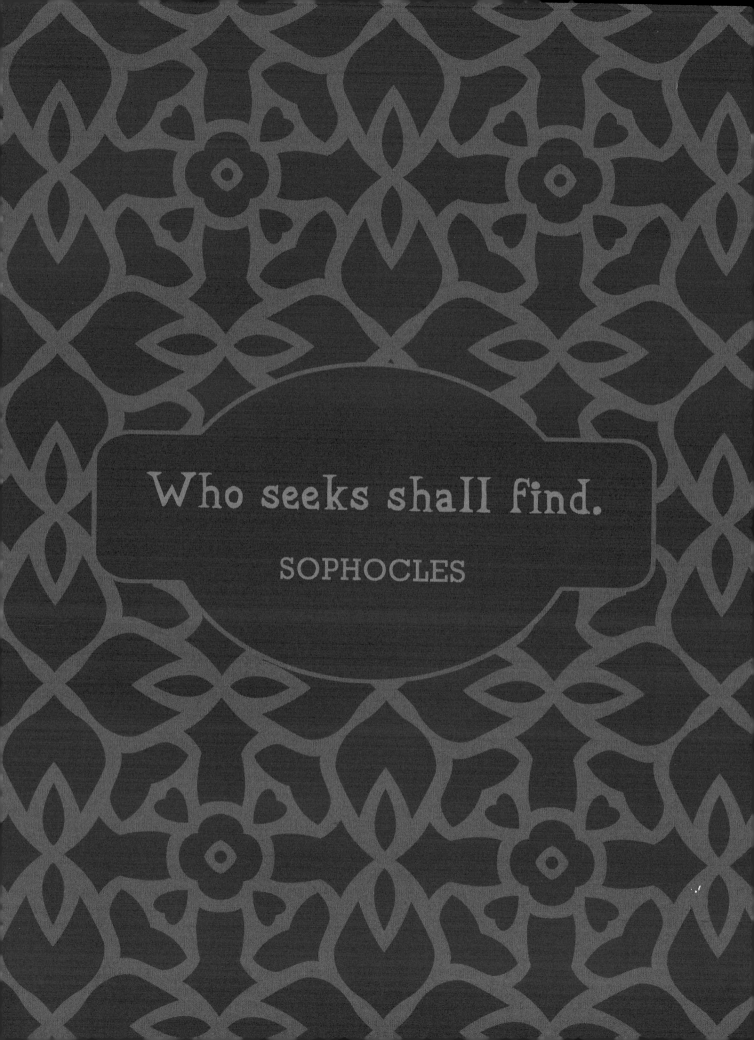

Who seeks shall find.

SOPHOCLES

```
V T D K H W J Y Z F J E G S I G Z N W U F K U N T
Z B R D U O J E W R C E S Z M N O Y Q O J Y I S H
V S E A T D I J M A Q Z M O X I B D Q M Q K T X S
I R H L P G P L Q M P J G R P Z Q N W Y Q I G A T
N M T P K R E G H R I R R B D R W S C L T Q M Z T
F M A Y A F D Z A Z Y T U V C K U N W C Q D L X I
S C E U C G B R V I I T C G S J I P H T W Z G T X
X M W K E S L M F K O W Y M N O L N A O M U O L G
O E S C H L M G B W U T X S G N F I R A S Q A D I
T R R D G V T E R Q P G R F Q S L O Q C K X T K
W R I G Z Q E W P I W Q T Z F G L S O P E F V J V
H R C W E Y Z K J Z D I S V H J A L G C W M Y M E
W F A S T B V X V C B C E U S W V Y P R K E X O O
N D C Z B A R T Y Y M Q R Q D H E G T G O F E J U
I E T L Q R O G O F I Z T V G C N C V O B F U Y D
G V U O D G F M G S X M L T D C A N W Z C J E P A
H V S V B H L Z S V E U E T Q H A K G W N F Q S D
H T G Q W T M K N T R E P X E F R N W V G K F A Y
Q Z R O T O G N O I T C I R F E U R N S L I P G S
X C B I A O O F V C B X P R N W B E V O D I P P T
S L U Y B T D P D F Q K I T C W J S L K N W S T M
E I X Z P T L F Z W M T R S D O D D I T J B X H G
D Q J N H R L D Y E T A Y U D R U J F H W R I S T
Z B K D E E H L C M P R A B B I T S C J R X O V V
E Y H Y S Q P Q E I N A X R W W P A A J Q O N V U
```

BEE	BIRTH	CACTUS	CANNON
DAD	ELBOW	EXPERT	FLOCK
FOG	FRICTION	FROG	FUEL
LAKE	PART	PARTNER	PURPOSE
RABBITS	REST	SELF	SLAVE
SLIP	STITCH	TOOTH	WEATHER
WRIST			

The past cannot be changed. The future is yet in your power.

UNKNOWN

```
Z Y S Q Q C L O V F W A I M L H K L D U E M A H S
L T B U K D N A K I J E D Y E T M C W J O Z Z Z A
T M G X J H E M Z U S A G E A L A G A N O V W H T
N P Z D K Y C M C U F I M M T A V O J I N Z T F T
Y U F O L C F D D W O I T F H E P W D A E C D V A
T N E M E S I T R E V D A O E W T L J R J A I L H
W S Z T P Y F Q P B F F V Y R N K X A D R Q K S X
I P S A L I S R E T S I S A E H K P U T R L C R B
H U C J D G Q S Q H Y P N T S C A Z F Z E D R K Y
A E V N W T M M P B H Z O Y N E N A I B C S F V X
F F L J C H J G P S V L W V D G X A E A Z J Q E B
V M W F D G Q V E T I O M G V F Y O T C K S P G H
F L C V Q H O G N P V R H E M H R K A S M C K A N
T H I T J P N N T Y C V A T T B G K W Y B B U U M
B A F K V I O J J N V K G X F U N J O U B U T G R
X M I V H S Y Z D O A R G I E H N C L O K I S N D
O K G C I U L J Z E X L R P V K G I N U S Q K A R
T O A O A C W E J S J E P Z I V B Z M G P G X L E
Y E P D S P M Q G F M Y I F J S W J Z S H Z R L A
T M O T I O N W M A I G R O H A L E X Z O F Z R C
Z T K Z I B U A N F T R N L X Z P R G V J J C T N
P S F M R L V T V D E K G U U Z I A U E I V M H W
C O U N T R Y E R P X F N V G I W X E P H H D J E
G P D P V N U R Q F H Z Q M T D D M L E R X J D A
S R H R U T F L V Q S Q L N B Z Q P L H H B Z C E
```

ADVERTISEMENT	COUNTRY	DRAIN	FIREMAN
JAIL	LANGUAGE	LEATHER	LIP
MINUTE	MOTION	PEN	PLANT
PLATE	POISON	SHAME	SISTER
SPACE	SUBSTANCE	SUN	TEACHING
TENT	VASE	VISITOR	WATER
WEALTH			

The harder the conflict, the more glorious the triumph.

THOMAS PAINE

```
A E M Z E M U D R F D N B L O K B S E R S K O N N
H R K H R K A C R O U I O R C G A O U I N J R L L
Z U Q F O D A U M F C L W I Y U F U H J N Z K P N
G T F T Q B I C J K S K D G S U T N V M B F W O S
B I B Y Y T B P N R E R R U W S Y D D Y H R C L V
C N D L M G K I U A T T K I A R U H B V L J Z U N
H R V Q E E U A E C P A A L E Q Y C X E P Z N L W
J U Y M W X S S L S T L X L J M W E S U X Y C J
G F X Q X O M U B L T E E O O W R U V I Y M A L M
Y O Z G N Q U P Q Y U C Y C C A B H F D D X X G T
H I K I L E T T E R W Q M E C L G H T L F S L Q D
Y C D E E T S A P H T O O T N L J F P V Q H B R O
K D R K N E J C A S T G A B P U E E U L T Z Z N J
W D C A L K K Z E N O G H K I W C Y G N L X K O J
J A V F Q Z W K H P L A S T I C U S M D L A R Y J
T G X B R E K C A R C U Z O P W R W P M I E K A H
N L L F W J J W Y L N N W D D T T B E A Q V R W
C V D X B B M E T S G T U R R S A S W U D R K C V
I C B J H U L I L J U X N I Q J I K E G K E X P E
D E K D O P P N S B N M E A W K N S A Y S B R L H
N T D W G R Z L S O W N H K S T D L I E M I D F
B N R Q R J P W J L F U N K D Y P V C L H J X C H
T S T A P M B S X N F U I P F K F D C F H P W P I
G C W D B C X A W O X A A P W W J M Y W Z I P P
C F M L Z K Q E R U D X F L Q G X L T X C W X F W
```

ARCH	BAG	CARE	CAST
CELERY	CRACKER	CRAYON	CURTAIN
DAD	DIME	DINOSAURS	DISCUSSION
EYE	FRUIT	FURNITURE	GIRL
GUN	HOBBIES	LETTER	PANCAKE
PLASTIC	REQUEST	SOUND	SPADE
TOOTHPASTE			

We are taught you must blame your father, your sisters, your brothers, the school, the teachers – but never blame yourself. It's never your fault. But it's always your fault, because if you wanted to change you're the one who has got to change.

KATHARINE HEPBURN

```
M T N N Y Y G U S C I S S O R S S D Y Z O H G P D I
B Y E E W Q W B Q G O S I V R Q O T Y T O S C G E
V G W I H B U S B P E R V E Y D M A G D T E I J T
E R P U J J X Q R M O W B P E L M E P J P J V I V
J Z X K E J P F E N Y E P Y D K T E X E T U M M W
J D I X E V K E Y E C C I U M F B U T P E I Y M A
K E A R S N W T I C T R H I Z U M T Q F G S H L V
W V W X E F L F T F L R D W C X S E F Q G V Z R L
H O A J E H E N R P I Z Z A S Z C C N O N Q E X R
Q M Q Q G J B T C V R I S M Q I Q A L N O V A H E
D H X J L A K E S Y J E T D O A T P S E G K C J N
M L V D N A L S I T R T E V T A F T C F U I M R L
N O R T E M Q Z P V N S S E R P Y I W W O K R D R
R C I F X W E G A B I A Q A K N T O G S I L L V D
U K D U G L M N A R G W I F O T Y N C L H Q K V R
C Q T J B B T S E T B Q I G E C G T C N D G P G L
A A H L O Y F N B P I S O K H V S M E D W O R C V
L I I D P R O N T U V X C Y G O R G G B L K A B Q
J V R Q N I Y P X J L I L O C G D I A L M W Z E P
Z W E P S I T H R S T K U Z K K C L U A R B E Z B
Q Z L I L P M N E Z K W M O Y Q G G Q G O N R B
N W V K Z A S P V M J F K J Z T Y Q N M M L K X G
F I Y S T B N S I X D F M I Z X Y H A D J G S E N
D A Y C L Q H E U W V M S T V X R N L W Y F B D T
J E Y T Y T R S Q F Y M J D V Y T V I G U A B F T
```

AIRPLANE	CAPTION	COAST	CROW
DESIRE	DIVISION	EGGNOG	GEESE
GIANTS	IRON	ISLAND	LAKE
LANGUAGE	LOCK	MIND	MOVE
MUSCLE	PIZZAS	QUIVER	SCISSORS
SERVANT	SOAP	TICKET	VOICE
ZEBRA			

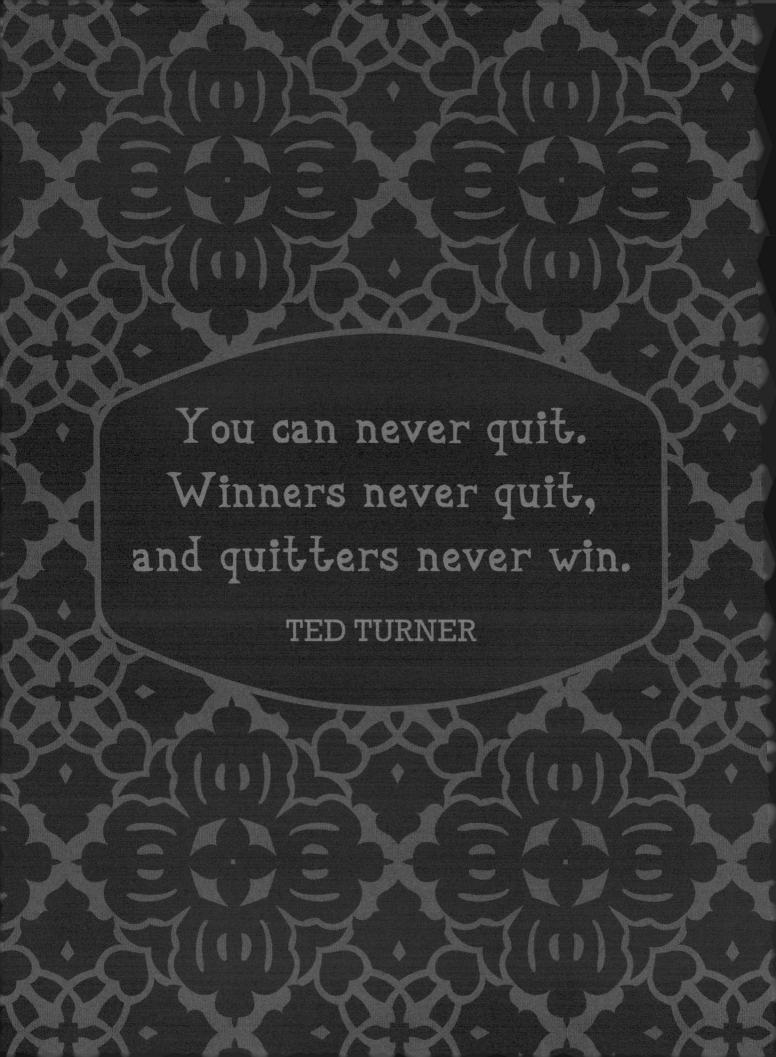

You can never quit.
Winners never quit,
and quitters never win.

TED TURNER

```
T O M A T O E S R E A H O H Q C E W X U M P J O U
C T U V U I H B L C K D E Y C V R L A A I C T Z A
I T B D T E Y C T G U Y J C X N Q E I E P N X G T
G R O L B Y R K A V Q C H W H A L D I W B M D Y
W B W P R I O D V T M N U A Z T B R E I O I U M U
K E L Q C O P U C X T S C N I O T K B F T R O J U
W M H L B W Z R V L H Y B N X B M X V X R D I N S
B K Z E N P X L N L V V D E L H C M E A H S D O S
Z X T D N U O R G E V B Z L G C C P N G M T G I Q
Y O U H N M T C C M Y D A N L I S E Y W D O Z T G
N V B A X Y R J T S J E N S S E H C N N P R Q A E
V V S P T M E T A U M V J U A U F Z S T W V G T E
H R V F U L T Z L Q Y E O Z O V I L H S L G J N I
K J F E R W U G K A C T C R I S Q T O D W O L A R
F I R E N V N Z K E V A U Y G Y Q C Z W U K B L C
L T P I A P I I N U N C I S A Y E D C P E N H P C
Q A R Z T Q M Y W N L K B F R C G F F B T R W D Z
P A C R A J I P O V Q V W N C C G Y L I Z U S C Z
R I V R F V E Q W R P Q G Q L B G Z L C L V O X A
Z O F Y P O Q R C L Z S U D D Y H J I Y U A O W D
E V B T T D O J X X Q J L T Y B R N P P C E N C N
D D D H M J Z H B C Q X P O C K E T V H H H Y W P I
B Z A A F Y A N O P G O M D B Z X Y L N F J N W A
V W U K I Q W K A L Y U C T N V Z L S Q Q R Y P F
W P Z B F D D U A G J N S N Q V X B C I P O H C V
```

BIRDS	BRANCH	CAT	CENT
CHANNEL	CHESS	CIRCLE	COACH
CREDIT	CUP	FIRE	FLOWERS
GROUND	MAILBOX	MINUTE	NOTEBOOK
PAPER	PLANTATION	POCKET	POT
SMELL	SOUND	TALK	TOMATOES
YAK			

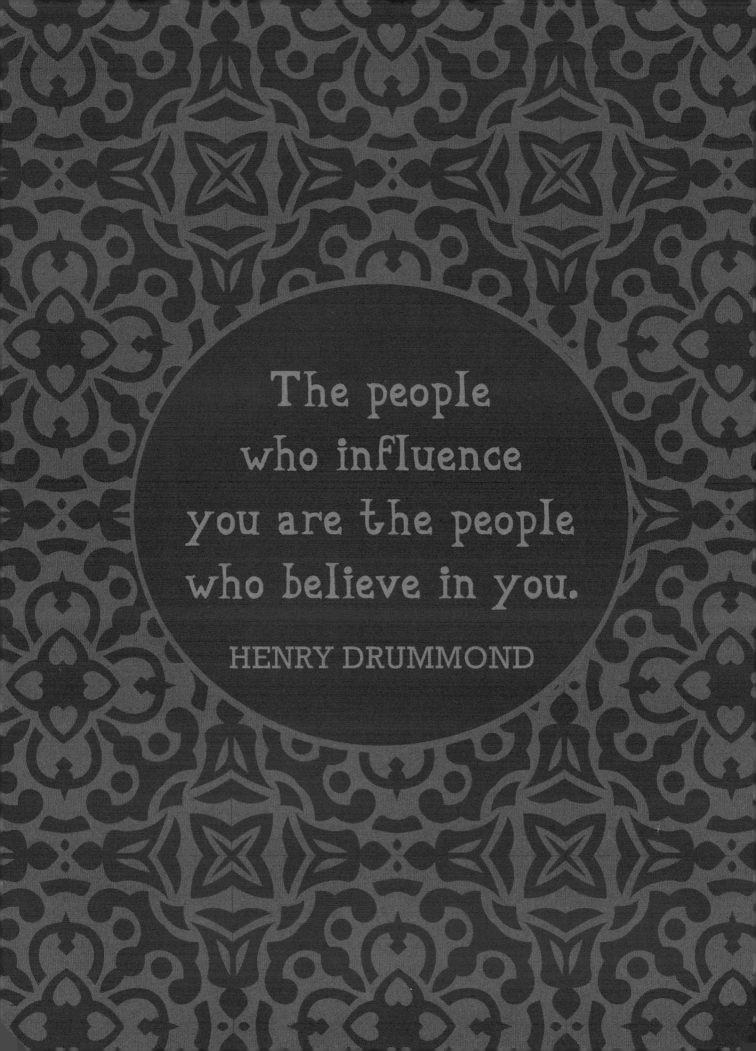

The people
who influence
you are the people
who believe in you.

HENRY DRUMMOND

```
L A X U N D E B U B T N T X E D G K S N I F R L K
Q W U T N O T L L A L W E Q X K F N Y I F P I U A
B Q G U F R I S F A Z O K N W I I T E A Z Q A K O
J T V T U L Q T O T V S S D E A E V O R N N P C L
K E R C W S O R U J N T A M R I L K H D T M P H J
C V K V G C D W E L T U B T C E E D Q X F D Q L H
I S A I K O P A E L L L O O L J T W G E E A P Z J
N J R E A D I N G R H O S M R C T H S A A K Q G A
X Y C Q Y I P G U C S S P T A Z U P T H C B F Z W
D W O R C N S E K T W J V O I P C H R V O F K I G
N O O N R E T F A W N X X E W R E W R R F R J P T
R W U F K R R Z Y R H M V L H F T F V I I R Z L R
C X R L M D F J K T N E Z J V D X H H K K B H Q
R B K S C O K M Y D U U H Q U S X V G N J I R X M
I H Z K V X I Y T C A T R Q E D I P X L J F G B S
B Q N R T Z H D H V R Q C Z W E J T X H V E O Z T
T L V A J A I D K N Y C H C C I V Z V G W C K I H
S U K I T T Y Q O U Z Q T Z I Z N Z F O I G O L G
X N A C S R Y V I N A M V R C U D O O G G F S H U
V C O A F F H X T M B G A V I P U D I C Z O A K O
O F O W F I K K M L N A G P U K B V Y S S P I E H
I B B W C Y K U Q Q Q M T C L E S T Z D E C A D T
C Z Y S W N C A M P S S E C E R H X V I U U C Z C
E N F D J T X F T V V X O H N E A C Q O B S O L S
F C X A J P Q G M C E H B U E E X Z K B O B M M T
```

AFTERNOON	AMOUNT	BASKET	CAMP
CRIB	CROWD	CURVE	DEATH
DRAIN	FLOWERS	KITTY	LETTUCE
MAN	NOISE	POLLUTION	READING
RECESS	SKIRT	SNOW	SOCIETY
THOUGHT	TRAINS	TRUCKS	VOICE
WOOD			

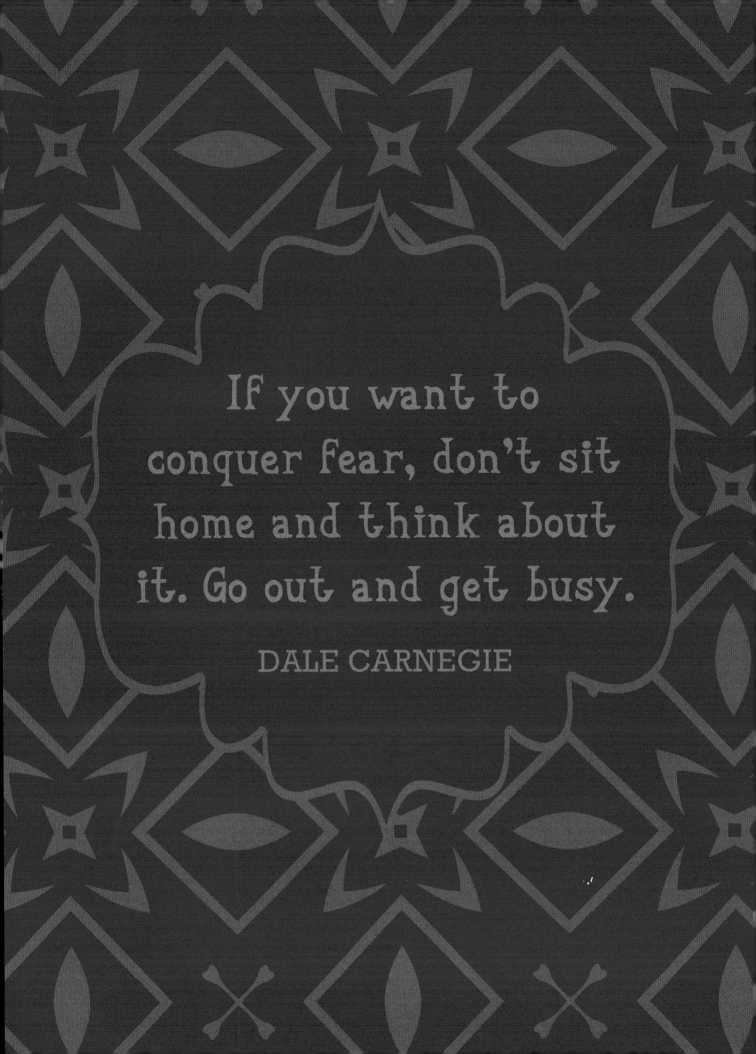

If you want to conquer fear, don't sit home and think about it. Go out and get busy.

DALE CARNEGIE

```
C X L B O O K S E H C S X T V M H Z W W Y C O T W
I Q A Y F V W L E R C L U D E A C E J E T R N L W
Z A M P X X L Z O T X R R G B E T K V N E E S P Q
S I I M R O D O Z U A O U M G T A V B N N A E J K
Y U N T O T K R S E E K R H E M W E Z Q T C M H H
K G A W S U Q I U A X C S C C P S Z A V G U T F H
V U D S Y L T P Q R Y C D I U N O T R M N R Z A F
P Z H M E D N H C T P U M L J T I R I Q N E V J X
Z M D B N C L W O F V O Y O K A F J R O G M K I G
U P N S A T K C F E O X D T B B H X B G N Z N K A
S L Q N I T R I H S U K P U L L S P M Y Y X R A C
P N V D C L E U F G L H R A A E R H K A N M Y K M
E A E E X P D L V A U B L U S V V A L R L C N O O
S R L R X M D T E K C U B K H C R Q P K B E N W Y
C X B P C U W D V L I O G R R Q V B Q Z P M M M J R
X R N J Q N K Q C N I I C L W Z J F M A V I E W Z
N K M S H P X R D B T G J S P K E W R O T O F R V
X P H V N B D U I E Q Q T L T G R G W I B N B B M
S O K F L T E L O H B G G J M Z J F R H Y B J W T
M D V H C U G P S Q E T W E O K A F D V R V Y W M
U D A H H L G A J U X H A P G B M C H Q Y O Q N U
N L J R K W K U R J V Y M Q O N O W L K O H I H K
L Q R G T Y A W D K E D N W F A E D W Z B K R E A
Y U O S L R Z L Q I N U E G R W K N G J S H U F Z
K Z G E E V H J S G L Z B X M D D I S M J C Z Z A
```

ANIMAL	BEAR	BOMB	BOOKS
BUCKET	CANVAS	CHURCH	CREATURE
CREDIT	CROOK	DEBT	FUEL
GRAPE	HALL	MATCH	MOUTH
ROD	RUB	SHIRT	SKATE
SUGGESTION	TABLE	TAX	TEAM
VIEW			

Things do not
happen. Things are
made to happen.

JOHN F. KENNEDY

Y V L G Y B L F K A R R Q G N A F K S S K D L R D
O M F I N X T A M J J E B V F P O L W T U W O O C
L W Q R A I P D Z N C D Q L A P T N O R F M X O C
H Y X F C R T L Y O U N K S Z R L L U C Y N M F Y
A Z C U R E E L E V U K V E O L Z A E K Z P E X
D G S B E F Y O E D L H F Q Z V B B K E G A M E R
Z T V B C Z R G T M K T M I I A Y N T W X S U C K
A W O J R J E O W Z U F Y H M L O N E Q R K J G L
O L H Z O I M C X W R H X G J M T A R F G U X C C
Z H L C F A B Z V P W Y X S U R M Z Y K A I P U C
V D H M T R H Y I E V R K M W M V X L O K Y B T C
H C W O K X A S M F V L L G M O Y A K D J P O J O
I M E I V M K I W U A I F T K U V U P K S I S E N
X S K B E F X B N H N E I I G D D H M J A W Z D C
Y T Z H U L I L C S L I M I T F L E S T F E E U H
U U P B O R H N B T T B T X Y T G B S W X D M Y E
V I P S D T G Z E F S O H C E W N J R U Y E N S S
B C B J O M J C K X I K R Q G M U G Q A J F O U S
P G P L P T I E N D R J M M X S Q T H R O N E R F
A A U O N R R K G L G D M R V A I Y U X N D M K P
L A S G C O X A L D U M G M T V Q G W K Q L B U T
P M G O Y C H R T W W W U F U H E K Q X F G Q P I
M R O N R E V O G S K Z E G K J Z X G L F F Q T K
O E U K M X E Q S Q D W B R B B U A S K G L E W Q
F L T C O C P D B I I A M Z P S U C O A K R Q V Q

APPROVAL	BIRD	CHALK	CHESS
COLOR	END	FLOCK	FORCE
FRONT	GOVERNOR	HOT	JUMP
LIMIT	MEETING	MONKEY	RAIL
RAINSTORM	RICE	ROOF	SELF
START	SUMMER	THRONE	THUNDER
TOMATOES			

Step by step and the thing is done.

CHARLES ATLAS

```
A T E W N E G T G E R X C V H R G Z C E F V S E U
T D K B S M O R P T E Q A L E M W C H L K S U T W
D J V N T O U A V R N Y R E H S F T H N O C N C E
C Q E E Z J N V D I N Z R O T V T R J Z T W I Z L
P S K G R C P M T H I M I G T R Y J X X L O U D Z
J F P B A T I H W S D U A Q V D S T D P K Q T A R
T A P K V V I D F J L T G P D V U A P F T H L H K
T M E D I B U S X X N Z E Y G M H P Y I O U Q A I
U F X E Y W Q F E O F M I N Q I S V S N K M R Z L
I M O X R R L O O M V W I N N K C B E G A R M Q C
Y A K A W N L E V S E G N A R O S Y F E H C T A W
O I E G I N L F R J D N S F E T L W W R D E E T L
L V K P S D M V A A M Z T A E N X C T H U Z R H W
W Z B Q G P J E C C P Y D P D E L V R G U T K A E
W L C L T U X G X Q M P H F Z D V D I B J I W O C
L T G K U T K B W Z L Y A S I G M Q A L C Q Q W X
F B M Y Z B J V D R V I K C A E C O Y H C D Y E H
K C I I B T M M W W T C X G L M U T T F L N W J R
A G Y B A B T W O K C Q Y I M S S Q X I Z J E V A
J Z A M V I T H K N I G R K S H H K F I O P L U A
T P P A U E T P S N H H F W C M U S C L E N L F O
W O S X K R D K T N M S A Q R U C O Q C V R S X M
Z K E R A G C W X B N C S M E Y G S U H B H N X R
C E A Z U D K P K I T T Y B B S U P J D N N P S E
S M W S E Z N M V J J H Q Q U P K H E O D L Z Q U
```

ADVERTISEMENT	AIR	APPAREL	ARM
BABY	BULB	CARRIAGE	DINNER
EDGE	FINGER	HONEY	KITTY
LOW	MARKET	MOTION	MUSCLE
ORANGES	PANCAKE	SENSE	SHIRT
SMASH	STEP	VEST	WATCH
ZOO			

After a storm
comes a calm.

MATTHEW HENRY

```
R X Z I B F U E X N O M W S T B E R R Y Z K E P D
E O N T J X N N L X U H E I M T L X B N A S I W R
S N U H T R O N D B Z N C B L E B O C V L I Y Z F
A U N T P O K I I U A P Q P H L E L K M D R W R D
D T O N E W A K O P U T H C O K C L D E O C T W K
A G T U K M W W E W C O E F W T U T W J O O X W K
D L E A K Z E S W R H F R G S H D A R P N C Q V B
O R I E C S W I N A C O K Y E K O B E E L C D U U
S J J Q T K M F Q J N P S F O V R U F V E H G S L
X R L M Y S C K Z T O T M W F H P R T G J Z D U B
C D Z R N U J Q I N E Y Y A M C Q S W C M X A Z A
C C L Y U D N O N M H J J H C L J T Y A M D L O V
I A M U K G B F T H V M M T Q P V A H S P S D N D
F N M J K I R N W E M H J R S T G K C N A N M W M
M V J Q D X B A V N P M O H U E J J R Z U Q I H Q
K A G N O I T I T E P M O C E H N E Y O M L L N W
H S D T J J K W T L O W R T I G S O W L H H S V W
K Y J W A T J T Y Q G I W I K V N Y A D Z Y T N W
P E D M O A W D R Y A M C T K X N A S P Q O B J D
U L I X T Y A P O H Y R X S G K B S R E Y U M Y M
U Y O Y W X Q F S K A O F A I R I E S O H E R A Y
F Q F L R L J T C R M E Q U B Z X F Q B P P Y S Z
O D D Y I H Q V W F K H J J N L N F D F Q U W A P
H O R E P P I Z O D F G E N R I Z I T Y T M K W N
R L H B W S D Z E S J O X L W N W A V E W C G G B
```

ATTACK	BERRY	BULB	BURST
CAMP	CANVAS	COMPETITION	DAY
FAIRIES	FRONT	HAIRCUT	MAID
NORTH	ORANGE	PRODUCE	ROUTE
SHOW	SODA	STITCH	SYSTEM
TREE	VEGETABLE	WAVE	WOUND
ZIPPER			

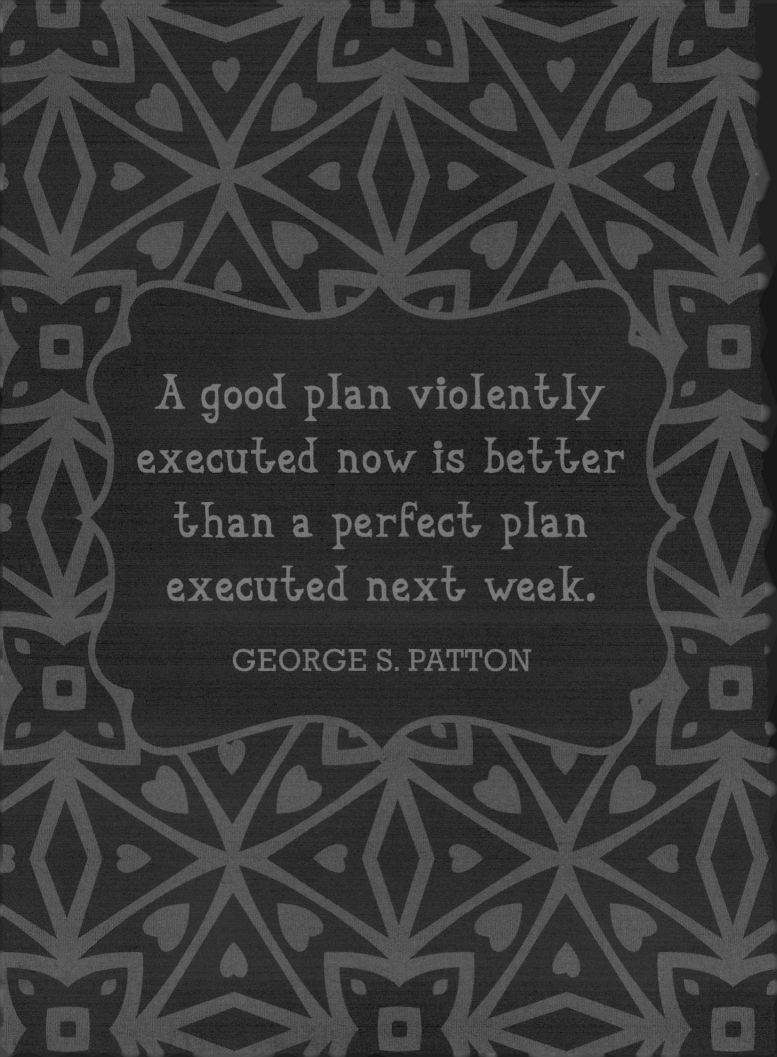

A good plan violently executed now is better than a perfect plan executed next week.

GEORGE S. PATTON

```
E F R C V C L W M F D C E N H M C Y P S O K S U L
U V Y E D C W A Z B A S E B A L L O R W A O R G X
A A I Z O L Q B N I V R T N U O M A N R A H O S E
H E U T Y F P J E H U H K F Z X O X O T E C F K Q
Q P U E A T F M U S O T H G U M B J G Q R B F C H
T P F V W T D E A J P Q P X E S C N L E Z O S I C
U F A O N R N E R T O T Y W M M H H A U A Q L T H
P G B T A W L E Q F M G E Z F A B M T S P N B S E
B U T W Z P I I S T H T U L M U C I I U V E H O E
J T E L I A R T C E N F D H A D E T A I L R U H S
K R J A B O B S F Y R C Q M G Y Y E O G V R Q J E
S B F C N K S O I X W P F D F U F A K G F O N X Y
Q S W O L O U R Q O J J E F I V T X D D U R D P N
N U D X V I F Z X K I R A R U N Y X R Z G B J W O
P A R U W M G L A T M X E I G L O O Z P I P B X I
Y O K C Y S W U W L C I R M L K D P C V Y A J N T
Q F T H K G T U B E G C W S M Z A V R P A V A Y I
C J J E T L D D L W J Q X E N U O Z Y I Z S L Q D
M F B P F M E X O E F G A W U E S E J P N J U Q N
Y B D R I U X Y C J M Z U E N C N U B G Y N M K O
F N I T U T C C K Z V K C P P O O J Q C I J D I C
R N T C J B G O D K F A H W H O A A K Y G R X F I
E E M R N V W S G N G F Z A I T H K M S L B I S W
N T P I D U X B C W H M E O O W D U Z Q X T P L R
V F L M F Z Q P B G Q N V M N F V P F I A K U A F
```

AMOUNT	BASEBALL	BERRY	CHEESE
CONDITION	CONTROL	CREAM	DETAIL
ERROR	HONEY	HOSE	IRON
JAIL	JEWEL	LOCK	MITTEN
OFFER	PLEASURE	REPRESENTATIVE	REWARD
STICKS	SUMMER	TOP	TRAIL
TUB			

Don't give up.
Don't lose hope.
Don't sell out.

CHRISTOPHER REEVE

```
Z L J I A M Y V A G L V W G U S U Z H K P I H M Z
H O P E O H F Z F K E X A C B H B A K R D R E K P
T E R N D D H J O D A U N H H P T L O Q Q A Q N K
A J K P G W D Y T B T O U D D U U A C W S Y M V O
E W H H X V O Z J E H B E O R Z R B D U O A J I T
R K N B H R M J Z A E S P I K X S C R I P M R N T
B B Z R J K Q E Q W R Y B N B R S E H F E U N D R
S O P M Z S E I G I M W I V S D E D I S T A N C E
E T W K P N T F Q P O S D O M T N R Y Q E H N J Q
T R O P S N A R T D X W N N N V I N O C E L L A R
G J G I U L J F E S L U P M I R S I N B Y I A O P
A F O W E Q L D P T R E W Y E B U C V V A H Z M H
R O O L F C Y I W Z C T P J Y L B R P W X L M D V
W K D T E O I J S K Y H H F B M A J K R H D S Z S
X L P B K F R U C S E A T P N G I T E O T O B O A
Y R E N I V Q I J R Z Q A L C F T Z I O T L F E J
U W S H B A K Y K C S Y J M V S V V U P C F T L Y
B H T P S L K T Y R A B Q X N T Z T J F S N F J T
N A C J O P S Y X S A A P W C R R L G M E O D L J
A A Q R Q N B P O F C O P O Y A R W C M H H H F R
O M U R P S L D L N Y U E R V I M O U C Y C P K Q
N C Y Z Z O I W J R J W J S J N V G Q S S M H H S
F Q E V B T W R S N R G L E L E R A F E O U I A W
K N D W O Z I U P O M R B E R A C Y E G T R G N I
X F Y P C T E U G M W I C V H S E A M E Y R Y O T
```

ARGUMENT	BIKE	BREATH	BUSINESS
CELLAR	CHURCH	COVER	DISTANCE
FLOOR	HAT	HOSPITAL	IMPULSE
JUICE	KICK	LABORER	LEATHER
MEASURE	MINT	PEST	SEAT
SNEEZE	STRETCH	TOE	TRAIN
TRANSPORT			

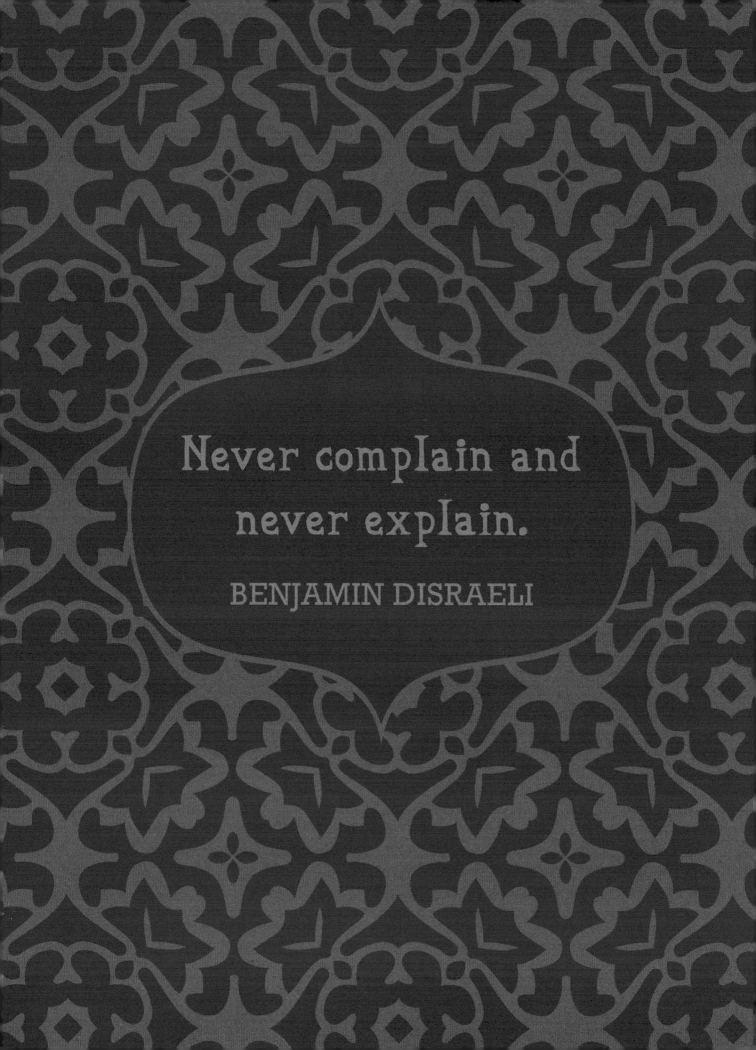

Never complain and
never explain.

BENJAMIN DISRAELI

```
E T O N K E C Q D M E A T V C R O B Q E N C U H D
M E O G L C H N O D A Y I V U H Q F F O Y O N Z B
M I T P W R E F O V C O N T R O L F I L Z V I H W
B M C T S Y R N W L O N Y Z L H E H G I A E T I N
Z C C E I D R L U W N N K Y S C S Q A K S R V E E
X O Q X U M Y D I S R U Q G T U X P A M N V E F F
D S T E I V M F H O X F D X C W F G H Z A F L K F
Z Q K E F A M O O Z D K L Z H B S J C N F N V Y A
N E R G N G P O C L S R K E T L B B O X V D F K R
F A S R X U H K L U E T E L R O T A L U C L A C I
C U D U U B T Q Z G E L O L T I L Z K E U M N A G
X R S L X Y H S I E Y X H M M I D R E U M T W H O
Z F Q O B A F T Y Y Q Y J W A I R A U I O V A V Z
J L B F I Z W V O H D Q M M Y C L E Q M R C H E G
C E Q J G M K M W W O C R U L A H D P F V I P L N
B D A F I P B Y S Y W J I S X I L A S F W R M G P
E N F N E T E K C O P O C D G V E R X M T Q W W F
P A I H S M N N S L G Y V B R G N G J Z W J A O S
J T O K M D A V M X C Z B B C X R G P I G O D Q M
N M F L T L L E V E N T P M E R J C B E T L T I B
U D Y V M D B E R X J F Z W F T E C F V C G N E M
J X O U Z N K K I P V D M Q D L B P I T P D U R L
C Q D D Y I O T E F Q W I N P U L Q B C N O U M A
K R Y P J B J T W V V V M K E P A L I U U L R B I
D A R I P J U A P J X L G V Q H X S U S H W O R W
```

CALCULATOR	CARE	CHERRY	COMMITTEE
CONTROL	COVER	CUSHION	EFFECT
EVENT	FIELD	GIRAFFE	GRADE
JEANS	KNOT	MEAT	MEN
MICE	PET	POCKET	SPOT
STOMACH	TIGER	UNIT	WHEEL
WOOD			

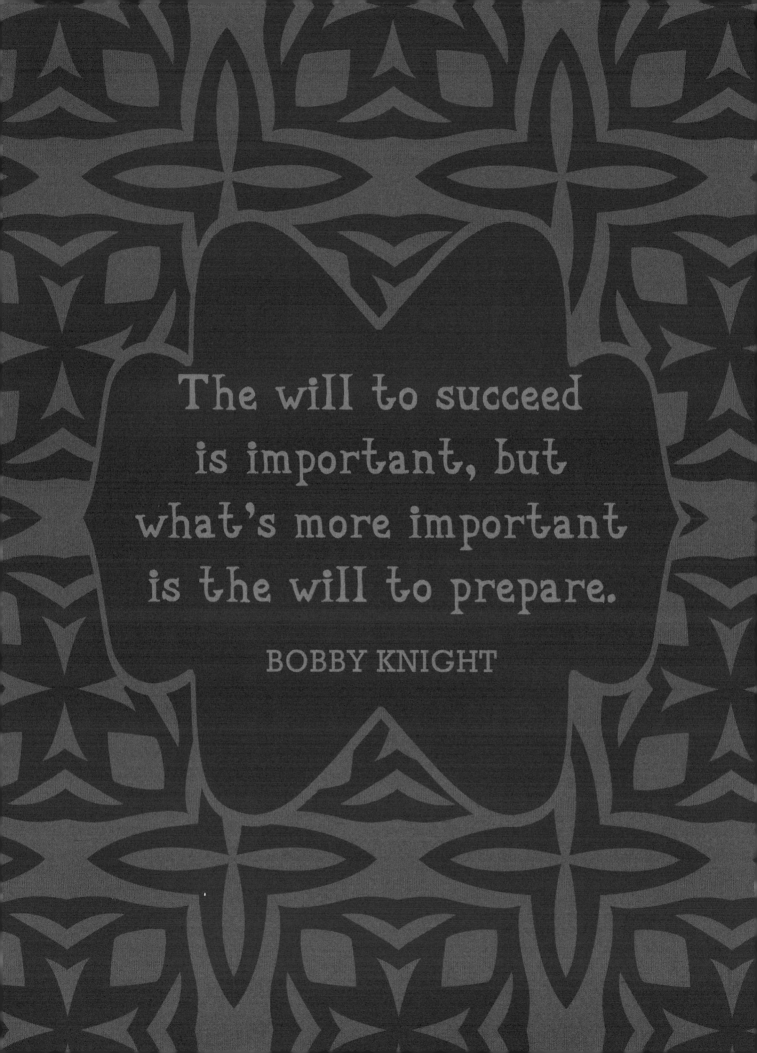

The will to succeed
is important, but
what's more important
is the will to prepare.

BOBBY KNIGHT

```
E J Q N W X U Y T E D N Q B E J O W T C P I S H U
J R N C A R S M C I O E Z O C Z Q O A C O U L X A
G J U G A N Z N B K U X F E N G D B G Q I X N I Z
F Y P T G C A N V R G R E D E X L O V Y N R A L M
Z J T U C R H Y Q X E H F H T E O V Y P T F Q U O
I U K E U U Z Y A D I L O H S Q G G T R I C Z G E
C N B S I R R E W M D O L I I T R O U S E R S N I
P A N L V C L T J W K L O A X B W I K I S X L Z U
B I F C E T O X S B M L C W E H V X X U O I E U N
S G X F T C Z S J I P X S D R K K A O H C X I C U
W O L S K B M I H C E D T L A B R W Q Z V Z T G J
L M B F U L Y Q U Z X G R E W Z A V G Z S E D V N
E D R L J D K K R X H K C R H U V C L M Q H J O I
R Z B B D V V L I A N S P L E C I F N M A R O O J
R R V W E E T W P Y K W X H P W F M Y G D M Y I A
A B T O T V O P N O U A V H U O T S E U S K Z M O
B R I D D L E M N P P V Q E G U C H W I R F I K B
B W S D H O S C H C W I F Y P O V J R E E P K C Z
I Z Q N U M R G H L P F L A O Y J Y T E C N J T K
T J Y U X Y M P B J T F Y U V T P S L O A C P K A
S C P O Q X D N T W I Y S O U I I I R T G D G I S
V B G R Y H W O L O Z B X R M S N E D R S U K S G
L Y S G R J A L W X E V J P T G J Z B S X S J N J
V R P E K B R S T K Q W M B O B O B V M U H W M H
G V K N Q L J L U N O T P K R R K O P T O W M D X
```

BULB	CABLE	CARS	EXISTENCE
FEELING	FRUIT	GOLD	GROUND
HOLIDAY	INSURANCE	KICK	LOW
MOON	POINT	RABBITS	RIDDLE
SISTER	SNAIL	SOCIETY	STRUCTURE
THREAD	TOES	TOY	TROUSERS
UMBRELLA			

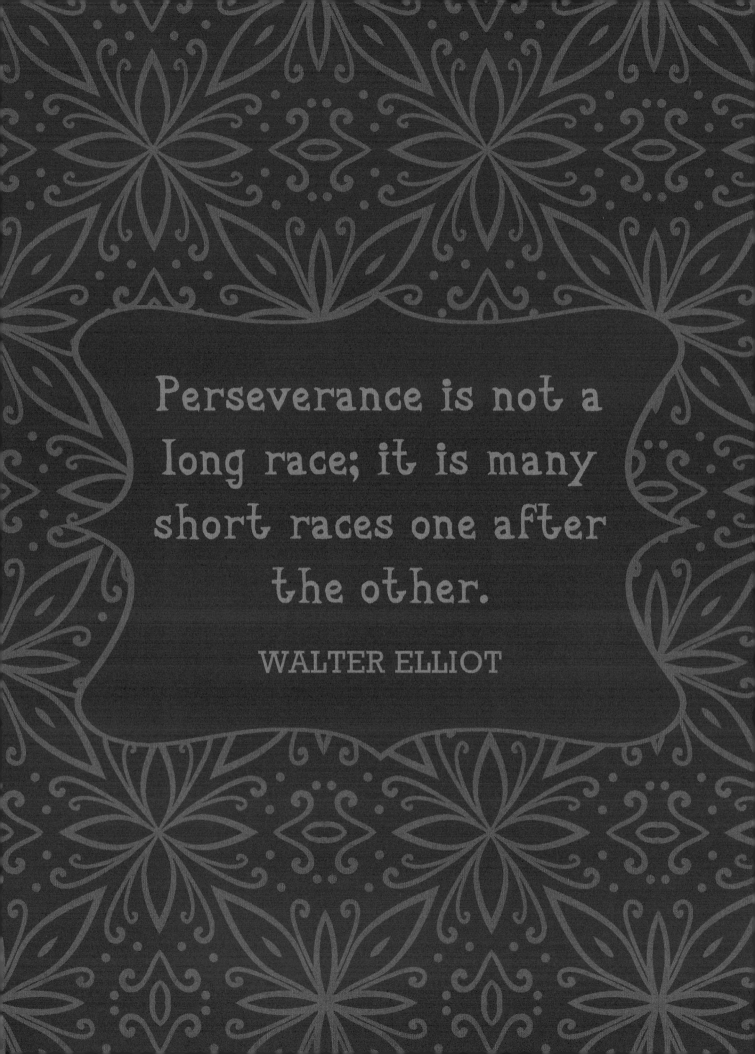

Perseverance is not a long race; it is many short races one after the other.

WALTER ELLIOT

```
V H A I B M X G G P X P U P P A I E R F U J W S Z
T A G V V Q L F R N E G R N I Q I F L Z J H Z Z B
M I A O C I B M S A W L L M M V V I Z M I V C U S
L R K T R H V J F M P T H P Z N T N M P H F W Y R
K O J X W F H G H I W E J X U N O K Y X P Z X R A
R S W U P I J U U T W V H L L J E P R R J D E E N
S A Z Z I P G D L R I O W P A S S E N G E R F L G
O O S C W R F E E O E O L X A K O P V I W L Y E E
K J U E B L P Z G K J N G M R Y E L V F O X X C M
L Z R R Q C I X O N Z I F B P Y J U L W X A C S X
Y T Y Y T Z M M C L O T H L E G S B E T J P Y K Q
F W M X F A S E E W I C U O R I X R H R E C N O U
Q G W R P O N C F W N O S U Z Z S D M M X F W L S
Y E D D R M N C X G H U O H I M P H G K G K R Y K
S V M Z W E Z J O S Y N F C Y Z F Z P Z B P F I T
D O B U T U I R N G L T E P I K Z N Z A L D K M R
W P I S E I C S R H X R E S A O B B M E Y O Q G A
G W I J P K W K A H Z Y T H Y C L K G M O M T I X
S X G J Z X C V C P X N B R Z N Y Z N R U P E R N
E E U Y Z Y V O X U M F W Y N S E D C C H H W N R
H H H D I C T G L B I H E L H Q D S G K K E C J T
J A M S M J I D G F F N K A C H S E L F Z Q D C T
M P X T U H W B V R E H D B K U H R Z B R C D O G
K S T G Y B Q P H H G E S E J D L F Q N S L D S K
Q R A E F Y I R A R T Y Q O C U Q K H H D F H I B
```

ART	BUSHES	CELERY	CLOTH
COUNTRY	CROOK	EXISTENCE	EYE
FEAR	FLESH	FLOCK	FLOWERS
FROG	GRAPE	HAIR	KNIFE
LEGS	PASSENGER	PAYMENT	PIZZAS
RANGE	SHADE	SMOKE	TWIG
WHIP			

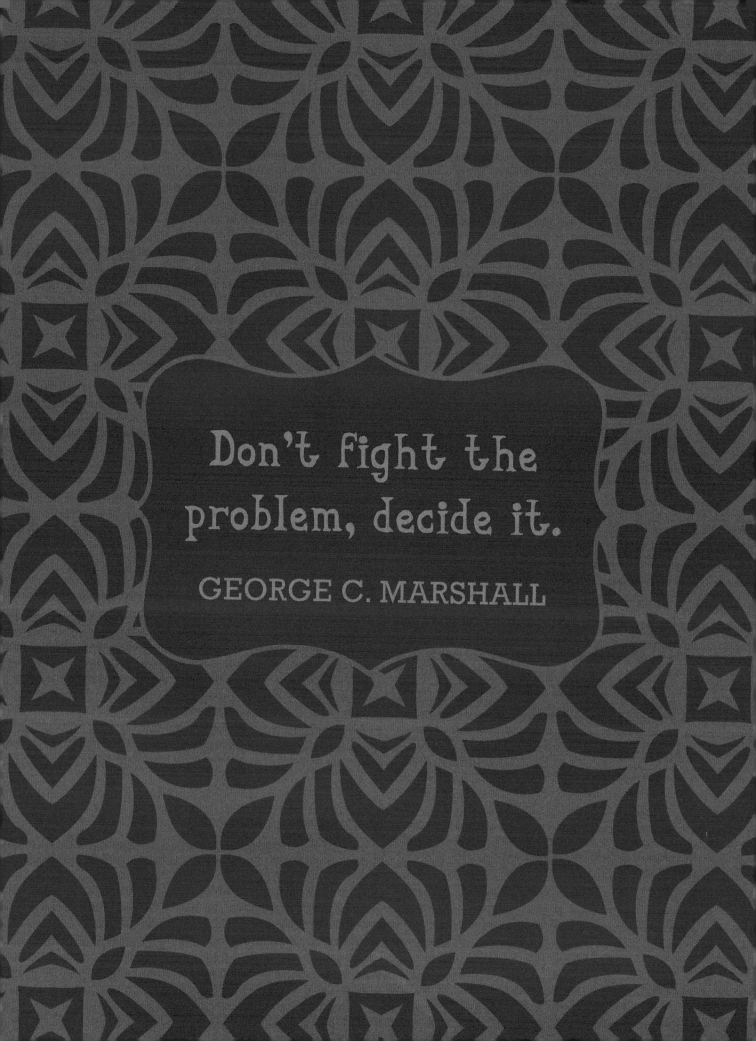

Don't fight the
problem, decide it.

GEORGE C. MARSHALL

```
T K W K N T D X K I Z Y V H M R Q L Q G F K C B R
K S F Y E D Y R E T E M E C T Y H S E A P K K H S
P N A A G B B C F A C M T I K L X R I K E G Y S H
X N U O H E Y A O V X O V P A I A E S U D T C A B
C E I P C G W G O F C F S M O H S E L P H G E G X
O T P U S A W H R B F F S E F R F B H M L L D I S
K R N C X P D J U D G E N I O N F C J A T Z C V N
M Q K U J T I D V M V S A H M B Y A P T M L M P O
U Z R W O R J R M F D P I M A E D E E P Y O W V W
P Z P U N C V M K A D J L Y Q W X K M Y L U H L K
Y T T I K X C X N Q X O A O P D P I C M I X H K H
E H F T J H U A I J M Y U Q I W I Z J R J I D S G
H U G F U P M A R F R F C J J T S R H A F X M L C
H P O S C M Z G D A I C M F O F L S U L V J O P X
E Z H U E G W G C I A L D A W L A Z L L B L I S L
K Z B V R R N P P X S P R I N G N T C E F F E H C
A Z T A O I Y E S V Q J Q O B J D X H C S O A P M
C T P I L I T P U P R Q I D T Q G A L Y L K R E C
N E H E L S C V Y V Z A M Y W Y M C A V A B U Z J
A S E R Y M K E G O H G G H U W L W F M D P U O N
P F O S O S V R M G V E T J Q H C P R H A E Z O R
Y T N F E N N B O R N V I M D E R I C Z S G N L F
F M I E O L E K C X R Z L R A H D H N Y W B O Y S
K F F M C I T Y R D Q R H G T B D R P Q O E Z W X
F A O S S K F G X I V H L Z M T W K E V N H I H R
```

ACCOUNT	CELLAR	CEMETERY	COAST
DRINK	EFFECT	FEELING	FOG
GRAPE	HEALTH	HORSE	ISLAND
JUDGE	KETTLE	KITTY	NECK
PANCAKE	PET	RHYTHM	SNAIL
SNOW	SOAP	SPRING	THRONE
VOICE			

I learned that we can do anything, but we can't do everything... at least not at the same time. So think of your priorities not in terms of what activities you do, but when you do them. Timing is everything.

DAN MILLMAN

```
F T R W N Z S B I J M K K C D E I A U V Y S F I I
Y H X L P U K H N A U C C G L J P Y X D N W G E
V O L L E Y B A L L V N E S U O H P P P H L G S P I
R V T G T E H L Z A F E O C B K L L Y I H T I C Q
I G R F X X W K L I T Q N N C I I I O L A M N U R
X B W L V S Q C I G J B D T N A N A B G P E T M K
K I B F U A Y V I Q Q K R C I A E N E A S J G F P
A K A X D B G R S B E L O K B O C C K L D H T C A
K B G U T K F B X K C M O W Z S N E I S P G H N K
U L Z G L U G Y L Z E D H O C G Y P M P X Z E Z S
C D Q Q U W P D H V A Z D G K Y S C R E V I U Q F
W C Y E V Q O C O O J G Z A B I L R Y E S V V P I
O C V Q E S R P R T F J T B U D H S F H A R B E N
E B Z R A G D U H U Y J O C V O S K U Q U N H P N
N V U B B A A R T D M U S H I R T I F S T A M A N
Y L L Z Z N Z P D C O U G S H E J R O C S I J Z W
W Z U M X P A Z I Q C H W C X P C T E Q S Z A P K
M Z T F J Q Y H L S A Q Y Q I R B T Q U Z S A H X
W C T N E S I Q K O O A H G O D J R S U T N C A N
O J R D N W A W I L J R U S X E A N E R W N Z F C
X Q E S M K L J Z Y T P B L B K L C D E L S I H T
G Y V F M S Q A I A Q O K E K P M T C O X M D M P
O R O N K A Q G W F L G Z W X Z M A P K N Z Z Q U
M T L V G M M Y A Q N K X C A Q E O N D N O A G O
O X C L O A F H N R R P X R J P X C V B R K L W L
```

APPLIANCE	BADGE	CANNON	CLOVER
DROP	HOUSE	INCOME	INVENTION
LINE	LOAF	LOOK	MASK
MINT	OIL	PAGE	PEACE
QUIVER	ROAD	SHIRT	SKIRT
SLIP	STAGE	VOLLEYBALL	WREN

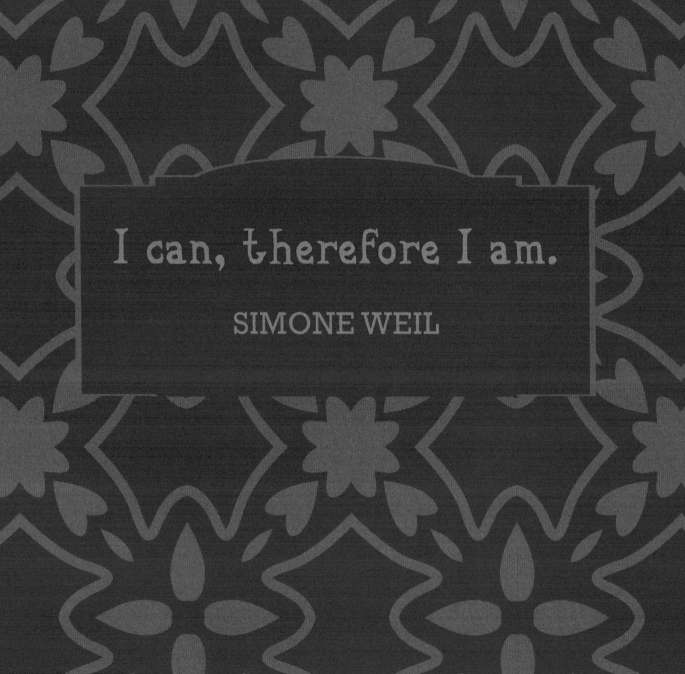

I can, therefore I am.

SIMONE WEIL

```
D X R E B M D U S E S T O R E G B C W S B G R J Q
E N Y E E V R Y E C K F C J R M R P I S I W Z P A
R D A A H Y O K E J C S Y P Q Q O S Y R Y B O H N
O O R S P T A G N F I R E M A N T H L Q H Q A I W
S O A W G C I M E T A L P I M I E T M H D M U I U
A V I C H T I B Q H L P I Q H D R V Z W N G Y M G
E M D M I D R U O Q A N E G S C V I R J J W V S F
S C F D Q O Z G Q Y V F O B D E L T T E Y U H T V
Q W D A D K Q W M L I C N E P K N E M X R L I B P
X A M U U J J E P D C W K G O J E S N J Z B Y Y C
L R E I D N N Z C V B A G M S R H E E P A C S C I
M O D W E T Y V G S H H Y U T T Q B H W I X W E M
T N E M P O L E V E D J E S T A V V S C C O I V J
P J Q T N R U F L A X W K V F J G N M T G O N G F
Y X D W F T U J L B F J N B M F U V P R E P G Y P
Y I L E A A B P C S C F O J A T M N F E Z P Q N R
H N W H C D R I Z R S Q D F C I E L D A E F X F B
J T K V K A K S H Z V U Z B F E Y X O R K K O R B
B E A N C O N E H Z G Z F Q J S X Z L K Y R F R Q
P X K B O F M L N X M S K J A N T A L I N F P J T
M U X D D S K Y L P E R D J S A N I M S J M I E W
R D C M W X A E F T A R M B Y L O S M P O N L C S
E J V G P R F B H O O V A J D G O Z X C L O K W C
N B H R T F V M T G B G K W V C O J Q M P E C B F
```

ADDITION	BATH	BROTHER	CAP
DEVELOPMENT	DOCK	DOLL	DONKEY
EXAMPLE	FIREMAN	GIRLS	MOTHER
NUT	PAYMENT	PENCIL	PLATE
QUICKSAND	SEASHORE	SENSE	STEP
STORE	STREET	SWING	TRAY
YOKE			

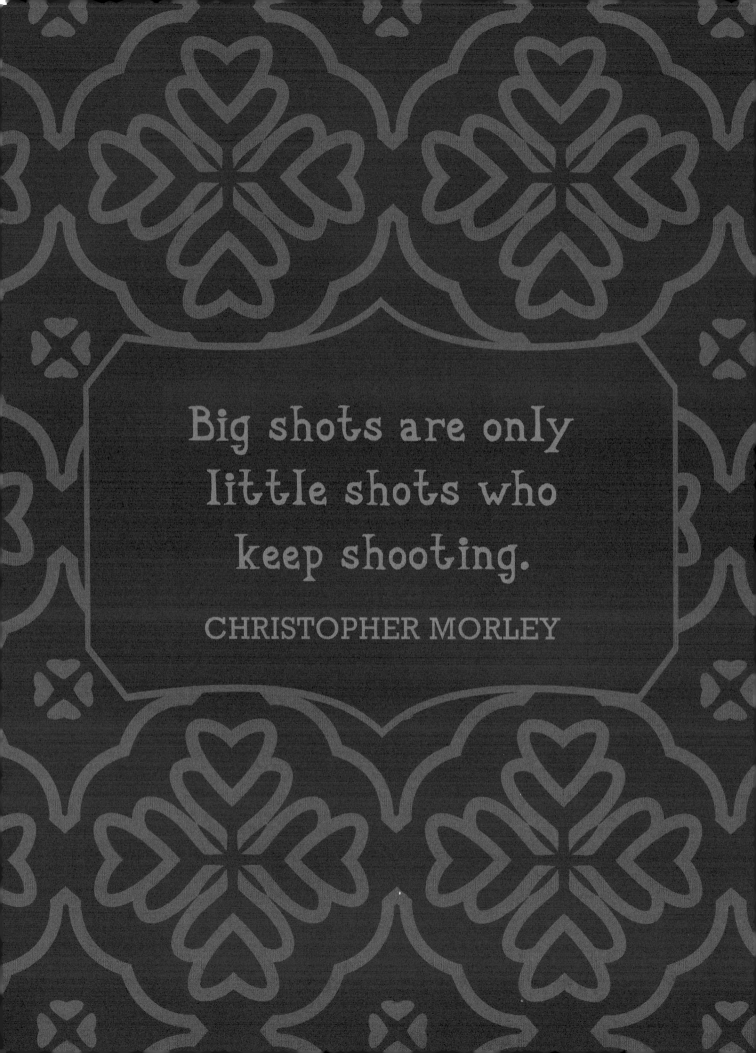

Big shots are only
little shots who
keep shooting.

CHRISTOPHER MORLEY

```
K I K I S B N U T J G T K B L O Z L G N G M U C H
H X O Y Q I G O N X T O S H X N W B X U L I M X O
W M K D H C S E A C A K R O I R S K E C R Y O H D
P G X P M C V T T Q A U F M X D I S R R N Z U E M
B U R S T Z W N E N Q A E K P O D A E R H T L A T
L K K A C E U V R K W Q R W F Z F Q B C F I V B
I C M F D M S T N L S F R N G F L L O D I D O S Q
P U J W T E Q P O Z P J S F U I A A R R T H S V X
F X P A B X R S K Y L X J O Q C U V E E U K B O Y
M L E Q E Q W D L S D C R V N E V B G X H Z Q O Z
A R E J N L E T T U C E T E Y G J G I S L T Q L P
T K E U A E F B H Z Y J Z O F E Y U B E W Q O X T
J B Z U Y F A N Q Z J W P B N R Q U E C B T M K
E M O E K H P Q Y E T C H C H R Q R G F C H H V L
W O I N J O N X E O N C C T K J X I W A V E G M A
E K J M E M C K Z E S R C K E G M T L O M D U J H
L Y D Y X U Q Q D K M B C F S E S J B V X R O V C
N Q X T Z Z E O L V F N M S R B T I A N J C H U Y
Z B Z M F Y N V U H X N J S I I V T H S G F T Y F
R U T J E K P O Y N F W A N E W E R C S N Q R M L
R F Z R E K B V B Q F C G S J P T N R K G W E T A
T S R Y D O Z M A R O B O L E Z L I L W I G T A G
C O D E P F A E O V W H R B K E Z X B U S J F M N
R D O F Q V V J N N F D X N X O M N W V N G A M T
I I R C S R A H P P R G G L X M Z B Q M L L Q I P
```

AFTERTHOUGHT	BIT	BONE	BURST
CHALK	DOLL	DONKEY	ERROR
FLAG	GRADE	HOSE	JEWEL
LETTUCE	MAID	MOTHER	OFFICE
RIFLE	ROD	SCREW	SIGN
SISTERS	TEETH	THREAD	TREATMENT
WAVE			

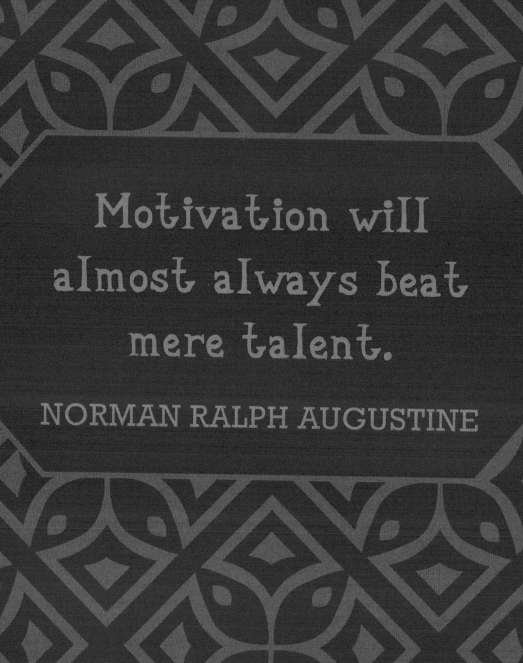

Motivation will almost always beat mere talent.

NORMAN RALPH AUGUSTINE

```
B L M X F S T F G F T X D U N I E P C Q A S U C P
P A Y M E N T K D V O M F O I L M A A S P M Q N G
H A G O Y L Y P P M J E E R E M I K M G M E U V J
Q C E X R G W N U K Q B C C A H T E C G E L Z J V
K T O Z U D E G B J L P A U A S E S R O H L D P Z
D F E F U W N N F B S Q P A H C N Z S B F Y P S Z
K L I M N N M P I G X O S B Q E T Q H T M Q E C E
Z L W R R D H R V N Y N X I P T E U H D O U J W R
R W F H W C E W Q N Q S C G D E V V S I T D H N H
V M H M P N N I E N Z P T P K R A P J I H N X T J
U R X O E J R N F O B Y N O R R R J Z B E E D Z C
A A S X O B M D N Z C L X R P L S E W R R W Z O K
R B F Y T A X S S W Y Z C K J S Z Q B Y R G V T Y
N V M T R J U I E O G L I J P H S Z T S U D J S Y
Y L G K A S M M O P L L H S I F T T N N T O G P K
W N E O P I J C L V M A W O B B I O H E N E S X O
Z T U U D W A L V D V B A Y J K I O S Z P X P N G
Y C S S V M R H G Q H Y D E B T U S Q U C Q Y X X
C C Z F P X T Z S H G E O Y P S B V C B L K L X Q
X X X P O U E M Z E C L T A E L K S P D U I S E S
J F A W U G X E F C F L C S U U W Z J N D X C J
O C J G G F K E T F L O E B H D O O D D M K B I N
A L A R M A M P K J N V L K C I A L U F M H K A B
Q K G C R X Y O Q D A F H S G B R E R C S X J K T
I U J P U O R V A R L P P F Z P A T B A V U Q Y Y
```

ALARM	ARM	BEAD	BULB
CACTUS	CAMP	CAPTION	DEBT
FISH	HORSES	HOUSE	KITTY
MARKET	MILK	MOTHER	PAGE
PAYMENT	PETS	SHIRT	SMELL
SPACE	THUMB	TIME	VOLLEYBALL
WIND			

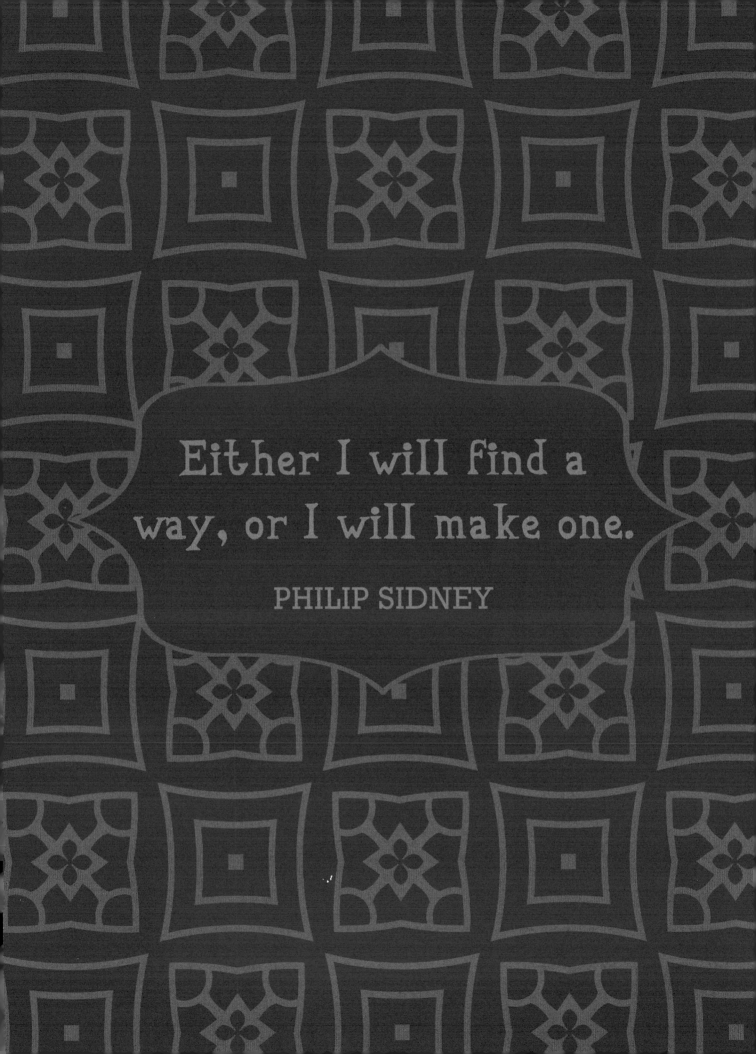

Either I will find a
way, or I will make one.

PHILIP SIDNEY

```
S E I K Z C S B Q L H W W N D B C S D W P X X C W
C U G D E G J H D F D C N O I T N E V N I E N R C
S V M N D Y K O U Z P G B I W S R W A T T S X A P
Q V M M O H H F Z I X F G T W S X D W J H O A C J
X A E A E P X N L J U M E A Q X V O M H I R X K P
A D T N V R S A O X N R H T P I B X F W T P I W L
N Q I D O M A Q M R V M O S C L X W G U U T G D Y
X G C N F P K V S Y O Y B E E T R E P X E K X X Q
C T S S R Q J U I E A G D D U T K D K H W V R R F
O R A N G E S O B W I E Y E B X F P K H E M N U E
G A U U S A B P L C R R G G K R U A U K V Y U L
Y C Z D A J U I Y E O N R X H H E V U C L Z R F J
P X M P Y S A U T A M N A E W N N J T K V K K Z D
J Z Z I M R C O X S S S D F H Y I X H R C Z U A N
S T I C K X X E L I O Y M I F C L K O O H G S T O
Z Z K K G Y S F N P G K O N T R Q O R R Z V R V H
E M L L F O L P M T B W O F M I K B I V Q E E G D
G Y G E A C M B W T I F L H H W O D T M A B S J K
Q N P P B S A P C Y G G H A F A F N Y T Q S W C G
I S L R U M F L I N K F T K B W V Q M D K B R J A
R A E F N S C O D L L J P I R W I E N U H V O E B
G M Z V M K R S J Q S U G E N A N I Y P M Z V P V
C I Y Q K K R P K C X B Q Y C T S M A B R G Z V U
C N I Y Q A P C S K W D E I K F H J E D A B Z H S
J W Q I C L V F E Z W Z I M X X Z S B A G E V H R
```

ADVICE	AUTHORITY	CHERRIES	CONDITION
CRACK	ELBOW	EXPERT	EYE
FEAR	INVENTION	LINE	ORANGES
PICKLE	PROSE	RAILWAY	ROCK
SCENT	SLIP	SOAP	SPONGE
STATION	STICK	SUMMER	TIN
TREATMENT			

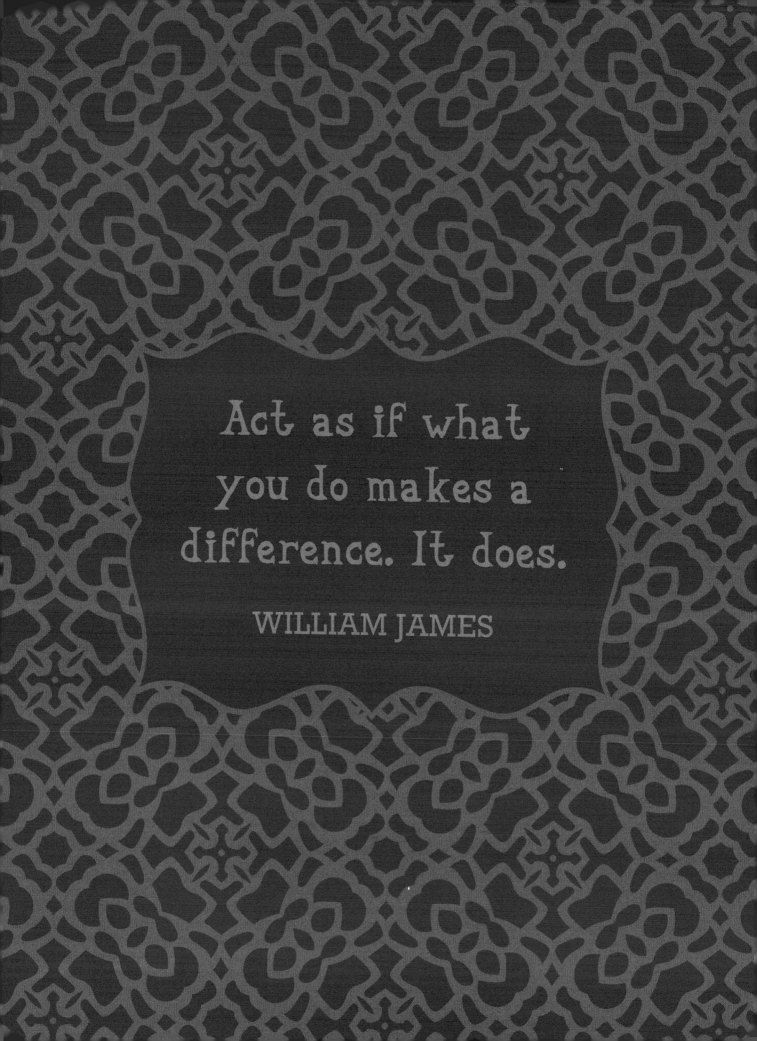

Act as if what you do makes a difference. It does.

WILLIAM JAMES

```
G X V R E P B K Y W S D U E S M N R U T X O C H V
X S V I D M N C P R P I C R I H N Y F U C P I G K
S E O H S I A V K A O E L E S M N B I H N E X U L
L M J X L K C N R Q Q Y M F T C N O F T R W D O U
C O C C Q B X P L T M T I J E G Z P G Y H O U I I
B T E Q Y C R E D I T Y H N R U Y X D S V J F Q E
F I S F O C J L I R B G P B S S G W T M A R R B I
E L D S G E L P H B Z Q N T R O U S E R S N T B E
G U O L Q R V V G V U H H U A M I A G A A D D W R
N U X C M J H U U X T O O R O C C P L S S S N M I
A R E P K T G L B E V Z K S U M Y D N L I L G D Y
H M P D P E E U N I T J B L S P Z Y I E G H I X X
C Q Q H A R T Y C M J I N A M E R I F W N S V X B
K A V F R H Q T U E G K J Z S T D E M E R L P L D
X W F I U O S H V H E I L I P V X M M J S T N N V
J D U K F P M P P I G W A S O X A C Y K Q C E N L
T Q J H Q R L X B X Y Q Z X O E D W L M W S P M A
S L H M H A E O M T N O R Y R G V P O I T R X O S
Z I J I T Y D D A H L K X T W K R R M Y X I R M T
K N R E B B D T W K O D S B H T N H O X V Q B B E
H E L D P W S R M O F J A Z Y I Q Y J R V K Z A P
J N H B X A T C A X P U B S N Q Z M P U N H A G B
Y R V Z O L N L Z N C U C G T G N T T O U R T G X
B Z X C E N X I M I T J M T Q M E R Y J N B W Q V
X F M X A E X E A W Y Q E F R K Y S A F K X W N D
```

CHANGE	COAST	CREDIT	FIREMAN
HYDRANT	INK	JEWEL	LINEN
LOCKET	MORNING	NAME	NEST
PETS	PLATE	POWDER	SAND
SHADE	SHOES	SIGN	SISTERS
SQUIRREL	STREAM	TROUSERS	TURN
UNIT			

I attribute my success to this I never gave or took any excuse.

FLORENCE NIGHTINGALE

```
Z F Z O V Q S D Z V X V Z G V U L E T T U C E L Z
E K A D N W Y C L U B J S U L E N Z L X T L A X F
W L O C E M O O R D E B E E T T I M M O C T R C G
D O P A K S V L S P K Y Z E R O M U H Q I L O F G
R G T M S K M Q U M T P K H Z K N G F P L A V H K
L E T A A M L N O F H C L Q Y K N I S F Y V A C A
R B L T Q X I T X J U O R W P Q C O T Q R O L S U
C G W Y H S E N R B I A V P R M H F J I P R F S A
T O K J H O U X A O H T O T B A R H J A X P M I H
S P S M R M W K C T P Z E E A O M F U F C P T B W
B P E S Q S Z B L Z I S F T G D A H S Z Z A E W G
P N E U R B C E I A S O N S S Z Q K Q B S J E N M
T L Z Z O J Q J M M U P N A W A F E B Y Y I R E H
J Q A H G A K F Y U W R H R R T O T F S J S X E R
F L Q S R G S O T X B T T K K T Q C U Q G I M K D
H C O T T A F D U T F L E T T E R T N E X C H E C
B T V N M I T I V G L N I S E K J D I S N U M B P
Q G Y A I H C E V R O C P J A I A Z T Z L E G O A
V S Y L H E F X P G W L F U K Z V N X W C Y E C T
U B H P Z I Z B H E E R T J O Q S E M I U W U E H
F P V B S A X U T O R N E O G R Z R M L M W A Y
Y O I T D G R P I R S N D X X G S Z O C J T C N F
B T X J A R E S M Z L S R H X I B R L U R H R D W
H E I I Y F M G B K L T P A M P O Z H D D U J O D
E K I O C D U O H H G M R Y F J G X P N C Q S K W
```

APPROVAL	BEDROOM	BUCKET	CLUB
COAST	COMMITTEE	DOOR	EXAMPLE
FLAVOR	FLOWERS	FROGS	GLASS
HOSPITAL	HUMOR	LETTER	LETTUCE
NATION	OCEAN	PLANT	PLASTIC
PUNISHMENT	RATE	SWEATER	TRANSPORT
UNIT			

The more man meditates upon good thoughts, the better will be his world and the world at large.

CONFUCIUS

H	K	N	K	B	M	P	V	D	E	G	P	O	F	H	U	U	H	E	S	K	L	X	A	J
O	V	M	H	Y	H	K	W	L	R	I	Z	O	M	G	S	K	S	E	U	T	M	X	H	Y
I	J	Q	P	W	M	J	R	A	P	E	Y	U	Y	Z	I	I	R	T	G	B	U	K	C	D
L	K	M	I	W	H	W	N	T	O	Z	Q	H	E	R	W	U	F	U	A	G	G	F	A	V
F	S	D	K	V	R	D	A	Z	T	R	A	P	C	M	T	R	V	X	R	B	O	Y	O	Z
R	W	E	B	W	F	F	Y	R	Z	W	O	B	H	C	E	E	T	K	G	Q	A	B	C	H
T	G	X	I	A	H	G	I	X	T	W	U	H	I	U	O	V	J	G	H	Z	H	I	W	Y
F	J	L	T	R	P	M	W	W	D	R	M	P	L	L	W	E	B	R	B	J	Q	Y	P	W
U	L	H	P	L	R	K	H	E	D	G	Y	A	Z	G	G	I	Y	L	C	O	C	E	M	T
O	E	E	P	V	S	E	R	Z	G	Y	V	C	V	G	M	H	U	W	X	G	Q	I	S	N
R	E	X	S	T	Q	A	H	F	E	E	L	I	N	G	T	C	W	W	F	G	S	O	L	S
U	Z	M	E	H	A	X	R	C	K	D	W	O	J	U	A	W	B	I	R	X	S	V	N
D	C	A	Y	M	J	K	H	W	E	F	G	H	H	V	V	N	C	H	R	A	H	T	L	K
V	M	J	I	X	D	J	V	X	V	J	P	O	I	Z	D	J	U	Z	E	F	C	X	Y	O
S	O	U	G	B	Q	T	W	V	X	Z	J	Y	C	E	Q	X	A	D	M	A	J	F	B	P
M	J	G	O	O	E	L	L	R	P	P	M	H	T	K	M	G	J	H	A	L	L	N	X	Y
M	G	K	R	M	Q	L	O	L	S	F	J	W	I	C	S	Z	P	Q	N	T	J	E	W	T
O	I	P	F	D	X	B	I	L	Y	V	R	P	N	Z	V	P	P	A	R	B	X	O	Q	Y
J	A	U	B	M	Q	H	P	E	Z	G	N	Z	T	D	K	Z	C	I	C	Q	U	Q	X	X
W	Z	O	E	X	Q	N	V	K	V	S	T	G	I	B	X	A	D	J	K	T	C	Y	F	U
T	W	K	A	Z	S	Q	Z	F	Q	E	I	X	W	R	T	M	T	N	J	R	U	Z	S	W
V	I	P	C	B	O	A	R	D	K	S	O	O	R	E	T	A	W	Y	D	D	K	Z	R	A
P	E	Y	V	O	O	K	F	I	G	S	D	E	F	S	T	S	O	C	V	J	K	L	F	Y
P	L	V	L	L	L	S	E	S	U	O	H	D	L	Y	A	J	D	W	L	V	T	I	O	B
N	Z	W	Q	J	V	F	P	A	W	T	N	E	M	H	S	I	N	U	P	N	B	E	A	T

ACHIEVER	BELIEVE	BOARD	BOY
CAT	CHERRIES	COACH	DIRT
FEELING	FIREMAN	FISH	FLESH
FLOCK	FROG	GRANDFATHER	HOUSES
PICTURE	POT	POWDER	PUNISHMENT
STEAM	SUGAR	VALUE	WAR
WATER			

Well done is better than well said.

BENJAMIN FRANKLIN

```
T S A R B F K O E N F R T O G K K C X M Q Z S S R
S W I G F F N C C P J K S G K U M O I B K B T Y P T
E G I D O G S W I Z W I M S J A B D S T U C G C F
T X U T P Z C J P R Q K U H I L I F Q G I B A V V
O C M A S H K U X N T P X W I Y U C I U S E M F F
R X A N L P W U W G R G S A M R O W X E P N G D Y
P G K B G A Y Y I B J E M K U O X Q D Q N J C I C
L Z Q B C R R V G G V Q X F L K A V S O M R H Q W
U B K L Y L B I U E Q O O A Q Z C P J D A S C V Q
N D Y G A X F Y T L T U B C Q Q H O T E W N D M
R I W D R U U P P S Q Q F E Z K U T E S R U U I I
Y A W P A O M T U G R V B P N O C Y M I E N L H I
F W C L Q A T A H Q W R E R O B A L F G L T X L L
D V O L E X R A B Z T A T D E F O F O J I L O Q E
N W K Z U G G Z E I O O C J R S A J N M H T O L C
T J L P U L R O L R N S Y O Y D Z B J I X R D W Z
T B V M H P W Y V S C P U H U K K U B W W A D F H
M A E P E F N G M V E G Y O S M I V X C N S X E
Z N R E S P E C T F E O L Y U U T I V I C S M U Q
T F L K Q F A T K L D W H Y S X Q I N S B P X W Q
X A T I Y R I T I A V Y K S W E P I C D G O I A Z
A F A I S I Q N A M Q Q F B C K T P Z S Q R F H C
B V T T D U U N G E U M Y I H S F P A T Q T U G T
S S J H W E O C H E N S U I T R V M I M F A O G U
D I S C U S S I O N R J Z Y P L C N O Z Q R V Z K
```

ACOUSTICS	ARGUMENT	CAR	CARS
CLOTH	CRATE	CREATOR	DISCUSSION
DOG	DOGS	FACE	FINGER
FLAME	JUICE	LABORER	LEG
LUNCH	MAILBOX	MIND	PROTEST
RESPECT	TRANSPORT	TRICK	TUB
WORM			

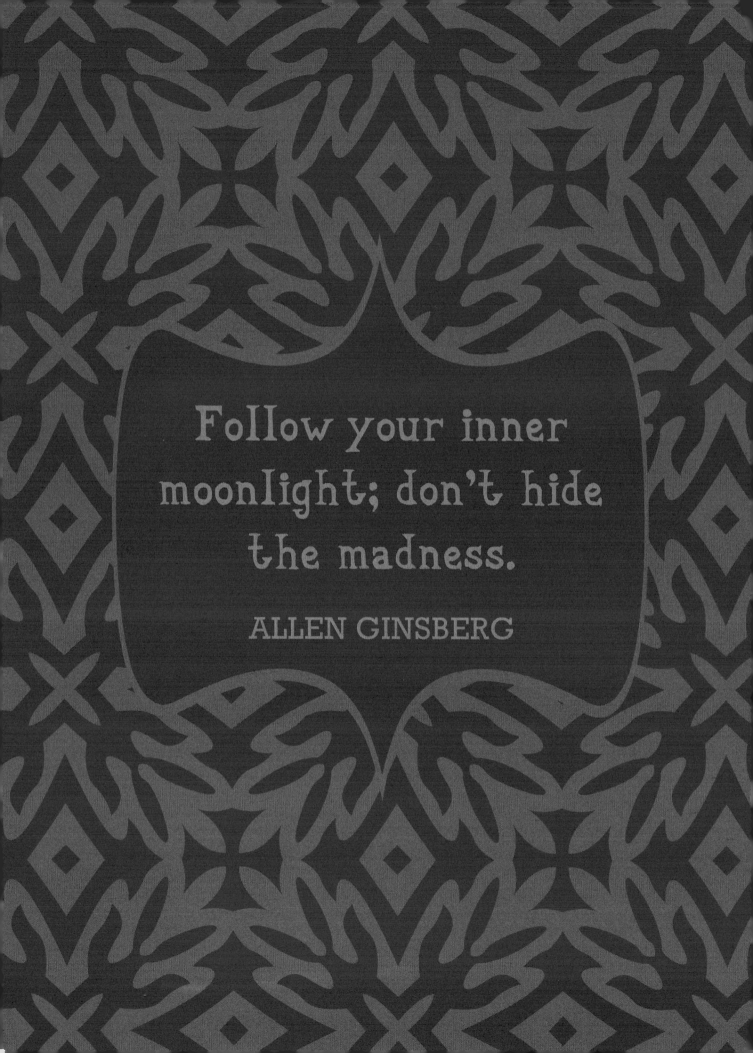

Follow your inner moonlight; don't hide the madness.

ALLEN GINSBERG

```
F L B J N F S S X T F H D J F S K K F K J P O T N
C I Q U I F U U E V Q A R T R I K S J H I X I K I
A W N P L A Y L H N O A W O O G J L J M Y N B I S
F J N G H B O E Q T W B E O M A Z H N E F I W K A
C I D Z E F R T A F S U U N Y U V S T T F M T V B
V F X M R R H T A G K R N E V J H A C S N E O R M
S Q W A D R N E H U P W E N P E I W L A E P G R Y
J P M U D M Y R O I A M M M N W B P V H T C E E P
T E M X F U T C V L R M L Y I E M V S O T B F X Y
J N S J Z E E Y B Z T G M C B T S H E N R S K R Z
K A U W W W I Z J I V R D W B X E S K A Z O O M E
J T W O E Y C O J P E N Q S S S R F S S G B R N P
K H I W C D O U T P X L U G E K D X F L M T J E B
V C G D A C S J P I S J M Q B R T P C C D Q N I T
F L L U H E A I I B B I V W B M I V U K L A W P U
W E M T K Q Z D W H L L D Y I P P O T O N N O J B
N O I T U B I R T S I D F H X E K F V V M C E B J
V Z Z W X G Y V O U V U B M I T D T O I T D B B D
L W X E T V F R C M S J X Q T U D U D G I W T O K
H Q Z N F K R C Z X R M U Y T C S C U U O A Q N S
S D J G D J T G X B V O N Q F S Q V X W S J O K Q
D X N Z E M A K Q K N Y Y Y Y D L O Y W D W Z X R
O K J N O U M U L Q U O E G L H F C H U R C H X S
W J E Z D O P P T M Q J E K R B V M O H T F E N H
C G M E P S W I M Q Q Q K S E D V V X A N K R K I
```

ACCOUNT	BASIN	BULB	CHURCH
DISTRIBUTION	FINGER	FRAME	HUMOR
LETTER	PART	PLAY	SHEET
SKIRT	SOCIETY	SON	SWIM
TIME	TIN	TOAD	TOES
TOP	TUB	TWIG	WASH
ZIPPER			

BE SURE TO FOLLOW US
ON SOCIAL MEDIA FOR THE
LATEST NEWS, SNEAK
PEEKS, & GIVEAWAYS

:camera: @PapeterieBleu

:f: Papeterie Bleu

:bird: @PapeterieBleu

ADD YOURSELF TO OUR MONTHLY
NEWSLETTER FOR FREE DIGITAL
DOWNLOADS AND DISCOUNT CODES

www.papeteriebleu.com/newsletter

CHECK OUT OUR OTHER BOOKS!

www.papeteriebleu.com

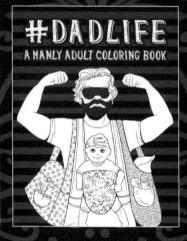

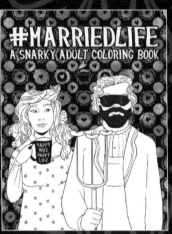

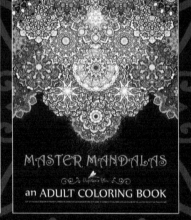

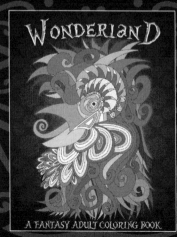

CHECK OUT OUR OTHER BOOKS!

www.papeteriebleu.com

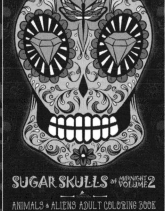

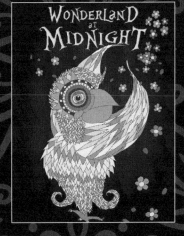

CHECK OUT OUR OTHER BOOKS!

www.papeteriebleu.com

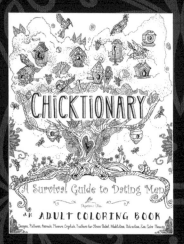

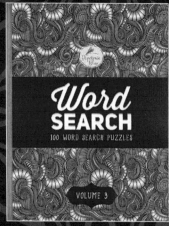

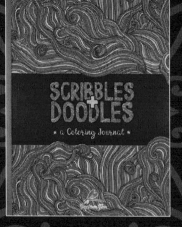

Printed in Great Britain
by Amazon